DE SCHREEUW OP DE MUUR

Voor al mijn zusjes

Van Karla Stoefs verscheen bij Davidsfonds/Infodok:
Stekelzot van je (prentenboek)
Voor altijd bij jou (11+)
Askura (15+)

KARLA STOEFS

De schreeuw op de muur

Davidsfonds/Infodok

Stoefs, Karla
De schreeuw op de muur

© 2007, Karla Stoefs en Davidsfonds Uitgeverij NV
Blijde-Inkomststraat 79-81, 3000 Leuven
Vormgeving cover: Sin Aerts
Vormgeving binnenwerk: Peer De Maeyer
D/2007/2952/22
ISBN 978 90 5908 223 6
NUR 283
Trefwoorden: vriendschap, Alzheimer, pesten

STICHTING NEDERLANDSE
KINDERJURY
2007

/

'Vettig spul, om ziek van te worden', zegt mama terwijl ze met over-
duidelijke tegenzin enkele noedels naar binnen werkt. 'Ik dacht
dat de Chinees gesloten was. Iemand vertelde me dat de voedselinspecteur een hond in zijn diepvriezer vond. Tussen de scampi's...'

'Roddelpraatjes', antwoordt papa.

'In China eten ze hond', weet mama. 'Zwarte pekineesjes zijn er
een delicatesse.'

Papa fronst zijn wenkbrauwen, maar gaat er niet verder op in. 'Bami speciaal?' vraagt hij, wijzend op een van de dampende foliebakjes.

Ik knik, zeer speciaal, want Xsang maakte de bami speciaal voor
mij. Mama heeft gelijk: zijn restaurant is voor onbepaalde tijd gesloten, de voedselinspecteur haalde er een hond uit de diepvriezer,
maar het was geen pekinees.

Mama vist naar een scampi, maar vlak voor ze de dikke garnaal
in haar mond steekt, bedenkt ze zich. 'Het ruikt wat naar hond.' Ze
stopt met eten en gaat bij het raam staan.

Papa en ik eten zwijgend verder.

'De verhuizers zijn er. Lana, jij zorgt voor opa's vis en je poes.
Neem ze mee naar buiten. Je kunt vanaf de bank de dozen tellen
die ze inladen.'

De dozen tellen?! Alles is geteld: van de theelepeltjes tot en met
de tafelpoten. Gedurende twee weken inventariseerde mama onze
hele huisraad. Daarna verpakte ze de boel en schreef op iedere
doos een geheime code die je via de inventaris kunt ontcijferen.
'De buren hoeven niet te weten wat er in onze kasten zit', zei ze.
Alsof er bij de buren iets anders in de kasten zit. Mama is een con-
trolefreak.

De verhuiswagen manoeuvreert tot vlak voor het hoge apparte-
mentsgebouw. Er stappen drie mannen uit.

'Het is op de achtste verdieping!' roep ik vanaf de bank als ze me
voorbijlopen. De grootste knipoogt net iets te vriendelijk naar me.

5

Filou, de poes, duwt haar snoet tegen het rieten hekje van de mand. Ze kreeg net een lepel slaapsiroop. Zo wordt ze straks niet misselijk in de wagen, zoals vorige week toen we van het asiel terugkeerden. Het is een tweedehandse poes, maar dat kun je er niet aan zien. Ze is erg aanhankelijk, na amper een week loopt ze me overal achterna. Een poes omdat er aan het nieuwe huis een grote tuin is: mama probeert het goed te maken, maar ik ben geen klein kind meer dat je kunt omkopen.

Vooral met het achterlaten van Jorien heb ik het moeilijk. Ze is al negen jaar mijn beste vriendin, van in de kleuterklas. Ze heeft zo zitten snotteren dat zelfs ik het gênant vond.

'Wat moet ik zonder jou?' bleef ze snikken.

'Wat moet ik zonder Jorien?' vroeg ik op mijn beurt aan mama.

'Je zult daar wel gauw betere vriendinnen vinden', suste ze.

Het woordje 'betere' kwam bij mij niet goed aan.

'Jij weet niets van Jorien!' brieste ik. 'Jorien is het beste wat me ooit is overkomen. Er bestaan geen betere vriendinnen.' En toen gilde ik iets in de trant dat ze maar alleen moest verhuizen, dat ik liever in mijn eentje in de stad bleef dan Jorien achter te laten, waarop mama furieus werd.

Ze gaf Jorien de volle lading: 'Ik weet meer van Jorien dan je denkt, en ik zeg je: aan dat kind zit een steekje los!' Toen volgde er scherpe kritiek op Joriens karakter en een hele resem verwijten over haar gedrag. Ik werd er misselijk van. 'En het ergste van al,' gooide mama erbovenop, 'is haar slechte invloed op jou!' Het leek haast alsof ze de verhuizing had bedacht om van Jorien verlost te zijn. Gelukkig kwam papa tussenbeide, maar sinds die ruzie is het koude oorlog tussen mama en mij.

Toch moet ik mama een beetje gelijk geven: aan Jorien zit een steekje los, maar dat is net het leuke aan haar. En dat Jorien lui is, spreek ik ook niet tegen. Jorien kan de hele dag in de zetel hangen, zonder zich daarover schuldig te voelen. 'Alsof hard werken een beter mens van je maakt', antwoordt ze aan wie daarop kritiek heeft.

'Als je hard werkt, doe je ondertussen geen domme dingen', reageerde de juf van godsdienst eens.

'Mijn vader werkt hard', had Jorien geantwoord. 'Hij hakt de hele dag onschuldige kippen de kop af, vilt tamme konijnen en maakt fricassee van jonge kalfjes. Leuk voor die beesten dat hij zo hard werkt.'

Joriens vader is beenhouwer, terwijl Jorien overtuigd vegetariër is. Moet kunnen, vind ik. Jorien mag dan wel opgegroeid zijn tussen de kadavers, ze is heus niet zo gevoelloos als buitenstaanders denken.

Mama houdt niet van Jorien omdat Jorien niet in een hokje past. Ze heeft geen grip op Jorien zoals ze dat op mij heeft. 'Als ze kon, zou je moeder je vastnieten op een kartonnetje en in een kadertje aan de muur hangen', zegt Jorien. En ik vrees dat ze gelijk heeft.

Ik kijk moedeloos naar de vis, hij zwemt heen en weer in zijn kleine kom. Zelfs hij weet dat je sommige dingen niet kunt vervangen. Papa vertelde dat vissen zich aanpassen aan hun omgeving. Hoe groter hun leefwereld, hoe groter de vis wordt. Met opa's dood verkleinde de wereld van de vis en kromp hij.

Als ze de planken van mijn bed buitendragen, krijg ik een krop in de keel. Na elf jaar slaap ik vannacht elders. Ergens ver buiten de stad, ergens waar het stil is.

'Nu heeft Lana een vakantie de tijd om te wennen en kan ze vlot naar haar nieuwe school', hoor ik mama tegen de conciërge zeggen. Een hele vakantie om zich te vervelen, en dan naar zo'n dorpsschool waar er nooit iets gebeurt, dat was dichter bij de waarheid geweest.

'Je moet ons maar eens komen opzoeken, samen met je vrouw.'

De conciërge knikt, goed wetend dat dat nooit zal gebeuren. Weg is weg.

Mama komt bij me op de bank zitten. 'Je dekt de viskom beter af in de wagen.'

'Dan stikt de vis.'

'Ik hoop dat het daar beter tussen ons zal gaan', zegt mama, terwijl ze met haar duim achter haar rechteroor wrijft. Dat gebaar maakt ze altijd als ze zelf niet gelooft wat ze zegt, alsof ze de waarheid achter haar oor verbergt.

Ze staat op, haar inventaris blijft op de bank liggen.

'Net op tijd, het begint te regenen.' Ze loopt naar haar wagen en roept papa iets onverstaanbaars toe. Papa kijkt niet op, hij praat met de verhuizer die half uit het raam van de verhuiswagen hangt. Mama stapt in haar wagen en rijdt weg zonder om te kijken.

De verhuiswagen komt met veel lawaai in beweging. Papa stapt ook in zijn wagen en rijdt voor hen de weg op. Hé, hij vertrekt toch niet zonder mij?

Ik zet de viskom naast mij op de bank en loop naar de straat. Ik steek mijn hand op, maar ze draaien de hoek al om. Verbijsterd kijk ik hen na. Gewoon vergeten. Mooi begin. Wat nu? Wachten tot ze me daar missen? 'Het is meer dan een uur rijden', zei mama gisteren. Dat maakt meer dan twee uur wachten. Verdorie. Ik was beter ook in een doos gekropen. Ik keer terug naar de bank. Opa's vis hapt naar een regendruppel die in zijn water terechtkomt. Het begint verdraaid hard te regenen. Plots steekt er een harde wind op. Mama's inventaris waait de lucht in. Daar gaat onze inboedel. Ik kan ernaar grabbelen, maar ik doe het niet.

Dan rijdt de verhuiswagen opnieuw de straat in. De man van het vriendelijke knikje stapt uit en wenkt me. Toch iemand die aan me denkt.

'We zagen je net iets te laat zwaaien. We moesten het blokje omrijden. Met zo'n vrachtwagen doe je niet wat je wilt. Je papa denkt waarschijnlijk dat je met je mama mee bent, en je mama...'

Ik knik dat ik het begrepen heb.

'Het is ook een circus zo'n verhuizing', verontschuldigt hij hen.

Een circus ja, en ik zo'n stom wit konijn dat ze vergeten uit de hoed te halen, denk ik bij mezelf.

In de cabine krijg ik een plaatsje naast hem. De andere twee kijken niet op. Hun zweetgeur vult de krappe ruimte, maar ik ben blij dat ik uit de regen ben.

Een paar straten verder rijden we langs het huis van opa en oma. Er brandt licht in de eetkamer. Toen oma nog leefde, kwam ik er elke dag. Ik maakte mijn huiswerk aan de keukentafel en at samen met hen soep. Lekkere soep waarin oma speciaal voor mij extra veel balletjes draaide. Na oma's dood werd er geen soep meer gegeten en toen opa naar het tehuis ging, verdween ook de keukentafel en onlangs werd het huis verkocht. Zo komt aan alles een eind, of je dat nu wilt of niet.

Ik staar afwezig naar buiten, ik zal de stad missen, dat voel ik nu al. De stad, de school, Jorien...

Jorien zit in Spanje, aan de Costa del Sol, zoals ieder jaar. 'De zon schijnt, maar dat is dan ook alles', zegt ze. Elke keer keert ze even bleek terug. Ze vertikt het om op het overvolle strand tussen de rood verbrande walrussen te gaan liggen. Liever neemt ze een koffer vol boeken mee en blijft ze, tot grote ergernis van haar ouders, de hele dag in het hotel op bed liggen. 'Het vooruitzicht dat we nog de helft van de vakantie samen hebben, zorgt ervoor dat ik niet depressief terugkeer', zei ze vorig jaar. Maar dit jaar heeft ze dat vooruitzicht niet.

We waren van plan om op de jaarlijkse braderie te gaan staan met een griezelkabinet met varkensoren, schapenogen en kippenpoten, net buiten het zicht van Joriens ouders. We zagen ons al op de tribune staan om de prijs voor de beste standhouder in ontvangst te nemen. Maar de verhuizing veegt ons mooie plan met één beweging van tafel.

Ik zal Joriens griezelige verzinsels missen. Die verzinsels begonnen als een kinderspel, maar omdat we het leuk vinden, blijven we het spelen. Het tijgeroogspel: dat tijgeroog is een goudzwarte steen waarin het licht op een vreemde manier glanst. Ik kreeg de steen van opa. Volgens Jorien heeft de steen niets met een tijger te maken. 'Het is een duivelsoog, versteend van angst door het zien van een verschrikkelijk kwaad', zei ze. Wie de andere overtroeft met een luguber verhaal, mag de steen bijhouden. Hij blijft altijd veel langer in het bezit van Jorien. Ze verzint de gekste dingen. Zoals dat verhaal van de aankoop van de beenhouwerij. Joriens vader had de winkel voor weinig geld kunnen kopen, op voorwaarde dat hij ook de hele vleesstock overnam. Na de koop werd duidelijk waarom: achteraan in de koelruimte hing een halve vrouwenromp aan een vleeshaak. Eerst dacht Joriens vader de moord te melden bij de politie, maar zo vlak voor de opening van de zaak leek hem dat niet de juiste publiciteit. Liever gaf hij elke klant gratis een snee geperste kop, speciaal van het huis. Nadat ze dat had verteld, was ze hard beginnen te lachen. Ik won de steen pas terug toen ik de juf godsdienst met de sportleraar betrapte in de kleedkamers van de turnzaal. Dat verhaal was nog griezeliger.

Bij een scherpe draai gutst het water uit de bokaal. Ik verstevig mijn greep op het glas. De verhuizer kijkt naar de vis.

'Een klompvis?'

'Nee.'

'Een maanvis?'

'Ja.'

'Een klompvis is een andere naam voor een maanvis. Er is een soort die meer dan een ton zwaar wordt. Als je die op de zeebodem tegenkomt, geloof je echt dat de maan een duik nam.'

Ik kijk hem verbaasd aan, hij is geen doorsneeverhuizer, hij heeft een trekje van papa.

'Is het een leuk huis, waar je naar verhuist?'

'Ik ben er nog niet geweest. Er was geen tijd.'

'Ach zo.'

Ja, ach zo. Geen tijd, dat was mama haar excuus. De koop moest vlug gaan. Ze wou niet dat ik een dag school miste. En toen de koop gesloten was, vond ze het niet meer nodig om samen een kijkje te gaan nemen. We zullen er immers de rest van ons leven wonen.

'Je zult er een tuin hebben', troost de verhuizer me.

Ik knik, maar zwijg. Een tuin vol bloemen, dat is mama's droom. Allerlei soorten, behalve rode geraniums, want die kan ze niet meer ruiken. Van de conciërge mochten alleen die op het balkon staan. 'Voor het fatsoen van de façade', zei hij. Waar sommige mensen zich mee bezighouden.

Tot voor kort had ik ook een tuin, een kleintje. Op het kerkhof, op de plek waar opa en oma begraven liggen. Ik had er viooltjes geplant voor oma. Viooltjes met paarse en gele blaadjes en een zwart hart, zoals er vroeger in hun tuin stonden. En tussen die fluwelen bloempjes plantte ik radijzen voor opa. Pikante, die at hij graag. Het was een keurig tuintje, geen sprietje onkruid. Maar op een dag lag er een zware steen op. Zwart met wit zilveren spikkels. 'Dat moest van de gemeente', beweerde mama. 'En zwart past in de rij.' Papa ging met mij naar het graf kijken en zuchtte: 'Alsof ze met zo'n rij passende stenen de dood onder controle krijgen.' Ik begreep het niet helemaal, maar hij zei het zo stil, dat ik liever geen uitleg vroeg. Waarschijnlijk verweet hij zichzelf dat hij zich niet met de zaak had gemoeid, want het zijn zijn mama en papa die onder de steen liggen. Maar hij moeit zich nooit met praktische dingen, mama regelt alles. Zwijgend wandelden we verder naar het oude gedeelte van het kerkhof. Waar de stenen niet meer netjes op een rij lagen, waar de boomwortels onder de zerken doorgroeiden en de kruisen deden kantelen. 'De dood heeft de tijd aan zijn kant, muisje', glimlachte papa. Muisje, zo noemt hij me als we met ons tweeën zijn, net zoals opa me noemde. Papa lijkt op opa, hij mist alleen enkele jaarringen om zijn buik. Toen we voor het graf van een zekere Abraham stonden, vertelde hij dat de joden boodschapsteentjes op de graven leggen. Een steentje met een briefje eronder waarop een wens of een vraag staat die je niet aan de levenden kwijt kunt. Ik had me afgevraagd wat ik op een briefje voor opa kon zetten, maar kon niets anders bedenken dan de vraag of hij blij was met de radijzenpuree.

Na een uur rijden dalen we een heuvel af. We zijn er. Het huis ligt verscholen achter hoge sparren. Het is het enige huis in de straat, last van buren zullen we niet hebben. Het is geen blij-jullie-te-zien-huisje. Zowel boven als beneden zijn de luiken dicht. Het huis heeft een naam: *L'escargot* hangt er in log smeedwerk tegen de gevel. Escargots zijn van die grote huisjesslakken die ze met een looksausje eten. Papa is er dol op, maar ik gruw ervan. Om je huis ernaar te noemen, moet je wel gek zijn.

Binnen zinkt de moed me in de schoenen. De inkomhal stinkt, het bruine behangpapier is lelijk verschoten en over de plinten kruipt rossige schimmel die tegen de muur uitloopt in een witte brij. Ik trek mijn neus op en wijs ernaar.

'Een soort houtschimmel', zegt de verhuizer terwijl hij Filou voor me naar binnen draagt. Hij trekt ook zijn neus op.

Ik zet de viskom naast de poezenmand op de grond. Filou heft slaperig haar kop op. 'Straks mag je eruit. Eerst kijken of we hier kunnen wonen.'

Met tegenzin ga ik op verkenning. Aan de straatkant zijn er twee grote kamers, met in één van de twee een kleine zijkamer zonder ramen. Op de muren zijn graffiti gespoten, paarse spiralen. Ik loop langs de trap naar het einde van de gang. Rechts is de keuken, je kunt er via een achterdeur naar buiten. Tenminste, als je de deur open krijgt. Het lukt me niet, ze zit stevig klem. Tegenover de keuken is er een groot, donker salon. Gezellig is anders. Onder de trap is er nog een deur waarachter de keldertrap verscholen zit. Naar beneden ga ik niet, kelders zijn kelders.

Waarom zou het huis *L'escargot* heten? Met zo'n naam mag je toch minstens een wenteltrap verwachten die uitkomt op een parelmoerkleurige gang. Maar de trap gaat steil omhoog en de overloop is in hetzelfde bruin gestoken als de inkomhal. Vijf kamerdeuren tel ik. Op vier ervan zijn paarse spiralen gespoten.

Als ik bij de kamerdeur zonder graffiti kom, aarzel ik. Er is iets wat me benauwt, alsof ik die deur beter dicht laat.

'Dat wordt jouw kamer', zegt mama terwijl ze de trap opkomt. 'Met een eigen wastafel en een spiegel.' Ze doet de deur open.

Het is er stikdonker. Het zwart knijpt mijn keel dicht. 'Geen sprake van dat ik hier ooit slaap.'

'We zullen hier een groot venster plaatsen, dan heb je een prachtig zicht op de tuin.'

'Nee, geen sprake van', herhaal ik met klem. Ik ben niet gek, je voelt zo dat er iets niet pluis is in die kamer.

'We zullen wel zien', komt papa tussen. 'Voorlopig kun je de kamer naast de onze nemen, die aan de straatkant.' Hij draagt mijn nachtkastje twee deuren verder.

Het is een kleine kamer. Papa opent het raam en de luiken, zodat er lucht en licht binnen kan.

'Er is niet eens een balkon', zeg ik.

'Met een tuin heb je geen balkon nodig', antwoordt mama.

Ik kijk naar papa, maar hij zegt niets. Moedeloos volg ik hem naar beneden. De verhuizers zijn klaar met hun werk. De vriendelijke laat mama een document ondertekenen. Hij knikt me bemoedigend toe, alsof hij wil zeggen: het is vast niet voor lang. Maar als de verhuiswagen wegrijdt, lijkt mama's vergissing onomkeerbaar.

'Weet iemand van jullie waar de inventaris gebleven is?' vraagt ze.

Vanuit de poezenmand klinkt iel gemiauw.

'Weet jij het soms, poesje?' vraag ik op een konkelend toontje. Ik open de mand, maar Filou wil er niet uit, ze is bang, ze blaast en krabt. Papa helpt.

'Je stopt beter meteen het nieuwe adres in haar halskokertje. Schrijf er ook de naam van het huis bij, die kent iedereen wel.'

'Blijven we hier echt wonen?'

'Bevalt het huis je niet?' vraagt mama.

'Nee.'

'Het moet opgeknapt worden. Nieuw behang en zo...'

'Nieuw behang? Dit huis vraagt om een sloper.'

Maar mama houdt zich potdoof. 'Kom, ik laat je de tuin zien.' Enthousiast neemt ze me mee naar de keuken. Zij krijgt de buitendeur wel open, maar als ze tegen het houten buitenluik duwt, valt het met een slag uit zijn hengsels op het terras neer. Mama doet alsof er niets aan de hand is. Ze stapt op het luik naar buiten en wenkt me.

'Wat denk je? Je kunt hier in je blootje zonnen, zonder dat iemand er last van heeft.'

Dat ze dat maar niet in haar hoofd haalt, stel je voor.

'Jij mag een eigen kruidentuin aanleggen, met munt voor thee. Er is hier vlakbij een tuincenter waar we plantjes kunnen halen.'

13

Ik steek mijn hoofd naar buiten. De tuin is overwoekerd met on-kruid, de eerste drie jaar kunnen we netelthee drinken.

'Van zo'n plek heb ik altijd gedroomd', zegt mama terwijl ze de achtergevel vol klimop inspecteert.

Ik kijk haar ongelovig aan. Van zo'n huis droom je niet, tenzij het een nachtmerrie is. Ik begrijp het niet. Altijd wil ze alles onder controle hebben, en dan koopt ze een huis waar geen beginnen aan is. Dit loopt niet goed af.

2

'Is papa al vertrokken?' vraag ik de volgende ochtend terwijl ik voor Filou een schoteltje melk vul.

'Ja, hij moet nu een heel eind verder rijden. En met dat nieuwe project lukt het hem niet om nog meer vakantie te nemen. We zullen met ons tweetjes moeten uitpakken. Zet jij thee?'

'Is het water hier drinkbaar?'

'We zitten nog altijd in de bewoonde wereld.'

Uit de kraan stroomt roestbruin water.

Mama reikt me een fles spuitwater aan.

Terwijl we eten, staat ze plots van tafel op en holt naar het toilet. Vanuit de gang klinken akelige geluiden. Wat later verschijnt ze met een bleek gezicht terug in de keuken. Ze neemt een slok bubbelthee. 'Die vreselijke bami van gisteren.'

We ruimen samen de tafel af en gaan aan de slag.

'In de dozen waarvan de lettercode met een L begint, zitten jouw spullen. Ik help je om ze naar boven te dragen.'

'Het ruikt overal zo muf', klaag ik.

'Het huis staat al vijf jaar leeg.'

'Waarom werd het nu pas verkocht?'

'Dat weet ik niet. We zagen enkel de notaris. Dokter Laurens, van wie we het huis kochten, is ernstig ziek. Waarschijnlijk heeft hij het geld nodig. Daarom moest het allemaal ook zo vlug gaan. Het was een goede koop, voor een huis met zo'n grote tuin vragen ze elders het dubbele van de prijs.'

'En jij was de enige koper?'

'Nee, toch niet. Er was nog iemand geïnteresseerd. Volgens de notaris bood hij zelfs meer dan wij, maar de dokter verkocht het liever aan ons.'

Goedkope verkooptrucjes, mama moest beter weten. En natuurlijk moest er vlug beslist worden, ieder redelijk mens zou zich anders bedenken.

Twee dozen met de letter L. Meer spullen heb ik niet. Ons appartement in de stad was klein, maar gezellig, heel anders dan hier. LKS en LBR. In de eerste zitten kleren en schoenen. In de tweede zitten boeken en die R staat ongetwijfeld voor rommel en ook die is mooi verpakt. Mama's werk. Ze stond erop om alles zelf in te pakken.

Ze is boekhoudster, maar het bedrijf waarvoor ze werkte, sloot onlangs zijn deuren. Mama had geen zin om onmiddellijk ander werk te zoeken en nam een sabbatjaar om de dingen rustig op een rijtje te zetten. Er gebeurde ook zoveel op korte tijd: opa die stierf, papa die promotie maakte en ik die ineens slechte cijfers haalde. Dat laatste kwam natuurlijk doordat mijn hoofd vol opa zat.

Mama vulde haar sabbatdagen met boekjes lezen en lekker niets doen. Maar na twee weken had ze er genoeg van. Ze ging op zoek naar een huis met een grote tuin zoals in die boekjes, met een 'voor' en 'na'-plaatje. Op zo'n 'na'-plaatje staat er steevast een sprookjeshuis waar het binnen naar appeltaart geurt en waar de tuin vol kleurige bloemen staat. Het 'tijdens' plaatje krijg je nooit te zien.

Ik veeg de ruwe plankenvloer en lap de ramen. Dat laatste doe ik voorzichtig, het raamwerk is helemaal rot, ook daar zit bruine schimmel op. Ik wil eraan ruiken, maar ik bedenk me. Op school was er een man over drugs komen praten. 'Van bepaalde paddenstoelen maakt men drugs. Als je die opsnuift, wordt je geest helder en krijg je grootse gedachten', vertelde hij. Maar toen Jorien de volgende dag tijdens een toets twee champignons in haar neusgaten stak, leverde dat geen extra punten op.

Ik was mijn handen in de emmer met zeepsop, ik wil ook niet per ongeluk stuifsporen van zo'n paddenstoel naar binnen krijgen.

Aan de buitenkant van de emmer kruipen twee naaktslakken omhoog. Jakkes. Waar komen die griezels vandaan? De tweede slak haalt de eerste in, maar in plaats van er een boogje omheen te maken, glibbert ze erbovenop. Nog viezer. Slakken kunnen iets merkwaardigs: een mannetjesslak kan zich in een vrouwtjesslak veranderen en omgekeerd. Ze slagen daarin omdat hun drang naar seks immens groot is. Slakken denken aan niets anders. Ze kunnen uren bezig zijn, en liefst van al met een heleboel op een hoopje. De twee op de emmer lijken het met elkaar eens te worden, maar ik ga er geen halve dag op staan kijken.

'Uit mijn kamer jullie!' Ik zet de emmer op de gang en doe de kamerdeur achter me dicht. Aan de binnenkant van de deur staat ook graffiti. Dezelfde paarse spiraal als op de andere deuren. Het uiteinde van de paarse lijn splitst zich in twee kleine stompjes. Ik volg de spiraal met mijn vinger. Wie weet is het het teken van een of andere geheime sekte die hier samenkomt. Zo'n sekte die mensen in zombies verandert. Jorien zag daarover een reportage op tv. 'Ze dringen je hoofd binnen en knagen je eigen wil weg. Beetje bij beetje, zodat je niet direct argwaan krijgt, tot je volledig in hun macht bent en zelf niet meer kunt nadenken. Dan ben je hun slaaf en doe je precies wat ze je vragen.'

'Maar hoe raken ze in je hoofd?' vroeg ik. 'Bij de Egyptenaren peuterden ze met een haak via de neus de hersens naar buiten.' Dat wist ik omdat ik net een spreekbeurt had gehouden over mummies.

'Zo doen die sektes dat niet', zei Jorien. 'Ze wachten niet tot je dood bent, want dan is voor hen de leut eraf.' Maar hoe ze te werk gaan, wist Jorien ook niet.

Ik ga op mijn bed zitten en kijk de kamer rond. Na de schrobbeurt is er geen zichtbare verbetering. Aan de verkleuringen op het behang kun je zien waar vroeger een kast en een bed stonden. Beetje akelig vind ik dat. Als ik mijn bed precies plaats waar het bed van de vroegere bewoner stond, riskeer ik een van zijn dromen af te maken.

Papa heeft gisteravond laat mijn kast in elkaar gezet, maar ik heb geen zin om mijn spullen uit te pakken. Enkel mijn beer, die ik de ochtend van ons vertrek zelf in de doos stopte, neem ik eruit. Mama vindt dat ik te oud ben voor zo'n beer. Maar papa zegt dat het niet erg is als er een stukje van mij klein blijft. 'Grijs is grijs,' zegt hij, 'maar van een muisje mag je niet verwachten dat het een olifant wordt.' De beer is helemaal verknuffeld. Ook het truitje en de sokjes die oma voor hem breide zien er groezelig uit. Onder het truitje draagt de beer oma's gouden hangertje. Het is een penning waarop in reliëf een half engeltje staat. Oma droeg de hanger altijd, ze kreeg hem van opa nadat ze elkaar voor het eerst in het kerkportaal kusten.

'Als ik er niet meer ben, is de hanger voor jou, Lana', zei ze. 'Maar je mag hem enkel op speciale dagen dragen.'

'Waarom alleen op speciale dagen?' vroeg ik. 'Jij draagt hem altijd.'

'Elke dag dat ik bij je opa ben, is voor mij een speciale dag', antwoordde ze. Meer dan vijftig jaar waren opa en oma samen, dat maakt meer dan achttienduizend speciale dagen. Mooi toch?

Minder mooi vond ik dat mama enkele weken na oma's dood oma's spullen begon op te ruimen. Ze stelde voor aan papa om oma's gouden juwelen te laten smelten om er iets moderns van te maken. Ik hoorde haar niet eens aan opa vragen of dat mocht. Daarom nam ik de hanger uit oma's juwelendoos, ook zonder te vragen of dat mocht. Een maand later hoorde ik dat mama opa's werkster, Johanna, had beschuldigd van diefstal, waarop Johanna kwaad was opgestapt. Toen ik van het voorval hoorde, voelde ik me heel klein. Johanna's jas was aan de kapstok blijven hangen en telkens als ik er voorbijliep, mompelde ik dat het me speet, tot ik het niet meer aankon. Ik haalde de jas van de haak en verborg hem in mijn kast onder een stapel oude kleren. Ik moet die beschuldiging nog rechtzetten, want het is zo jammer voor Johanna. Maar ik durf er niet over te beginnen tegen mama. Misschien is mama de jas tegengekomen toen ze mijn kleren inpakte en wacht ze een rustig moment af om mijn uitleg te horen. Of misschien heeft ze de jas niet opgemerkt. Als de stapel te groot wordt, gaan mijn oude kleren in een zak voor de arme kinderen. Misschien heeft mama in haar haast blindelings een zak gevuld. Johanna's kinderen zijn arm, met wat geluk komt de jas bij hen terecht.

Ik neem het hangertje tussen mijn duim en wijsvinger. Zodra het beter gaat tussen mama en mij, vertel ik het haar. Die koude oorlog vind ik maar niets. We doen wel min of meer normaal tegen elkaar, maar we blijven boven op het ijs schaatsen.

Tot nu toe droeg ik de hanger enkel stiekem, wanneer ik in mijn eentje opa in het bejaardentehuis opzocht. Ik droeg hem voor opa, als een kleine troost.

Opa had nooit naar dat tehuis mogen gaan. Hij was niet ziek, hij was verdrietig omdat oma er niet meer was. In zijn eigen huis waren zoveel plekken waar oma dicht bij hem was. Ik mag er niet over piekeren, anders word ik weer kwaad op mama. Zij wou dat opa naar een tehuis ging, ze had een hele lijst pro's bij elkaar gedacht. Opa zou er slapen in een opgemaakt bed. Hij zou de krant van de dag te lezen krijgen, niet één die al wekenlang rondslingerde. Bovendien zou hij er vetarme maaltijden krijgen. Ze ging maar door, tot papa akkoord ging.

'Er is geen andere oplossing', zei hij tegen mij. 'Opa kan niet langer voor zichzelf zorgen.'

'Ik kan voor hem zorgen. Ik kan bij hem gaan wonen', antwoordde ik. Ik wist wanneer de vuilnisbak buiten moest en wanneer de mayonaise vervallen was en dat soort levensnoodzakelijke dingen.

'En wij dan?' vroeg mama.

Ik zou hen zo nu en dan wel komen bezoeken. Zij hadden toch geen probleem. Maar daarop was mama beginnen huilen.

's Avonds was papa bij mij op de kamer gekomen. Ik mocht mama niet zo verdrietig maken.

'Er is meer dan die mayonaise', zei hij. 'Opa vergeet alsmaar meer, hij raakt in de war.'

Maar zo was het niet. Opa vergat niet, er zat al een heel leven in zijn hoofd, als hij er nog nieuwigheden bij propte, werd het een rommeltje.

De dokter, die mama goed kende, deed er nog een schep bovenop. 'Hij moet zo vlug mogelijk naar een tehuis. Hij moet zich thuisvoelen tussen vreemden, voordat hij zelf een van hen wordt.'

De dokter bedacht een moeilijke naam voor opa's ziekte, maar hij vergiste zich. Hij wist niet dat oma vijftig jaar lang opa's schoenen klaarzette voor hij naar buiten ging, dat ze geld in zijn beugel stopte en op een papiertje schreef wat hij kopen moest. Het was dan ook niet gek toen we opa in de supermarkt tegenkwamen op zijn pantoffels, zonder geld, niet wetend wat hij kopen moest. Oma was gedurende al die jaren een stukje van opa geworden. En toen oma stierf was opa niet meer dezelfde.

Maar het verhuizen naar dat tehuis verliep niet zonder slag of stoot. Oma's hond stelde een probleem. 'Een vis kan nog net, zolang die niet blaft', grapte de directeur stom. Opa wou de hond niet naar het asiel brengen, het trouwe dier had oma's voeten avond na avond warm gehouden en verdiende dus beter. Maar op een dag was de hond weg.

Beneden rinkelt de telefoon.

'Lana, neem jij op?' gilt mama.

Ik donder de trap af. 'Hallo?'

''s Nachts doolt ze rond. Ze zoekt op de tast in het donker...' fluistert een hese kraakstem.

Op het kleine telefoonscherm staan sterretjes, de beller heeft een privénummer.

'Ze zoekt en zoekt...'

'Met wie spreek ik?'

Maar de telefoon wordt ingehaakt.

Mama komt de gang in, ze heeft een zwarte veeg op haar gezicht. 'Wie was het?'

'Ik weet het niet. Een man die door zijn neus sprak en hij hing op.'

'Vast verkeerd verbonden. We hebben een nieuw nummer.'

'Hij zei iets over iemand die 's nachts ronddoolt op zoek naar...'

'Naar wat?'

'Dat zei hij niet. Het klonk akelig.'

Mama schudt met haar hoofd. 'Waarschijnlijk een grapjas die lukraak een nummer intoetste.'

'Wie kent ons nieuwe nummer?'

20

'Lana, alsjeblieft', ergert mama zich.

'Het klonk niet grappig.'

'Dan was het een gek. Zo'n gestoord geval.'

Ik laat niet los. 'Aan wie gaf je het nummer al door?'

'Aan de notaris, aan onze oude conciërge, aan het ontwerpbureau, aan papa's werk...' Ze neemt me bij mijn schouders. 'Er zit geen gek tussen, oké? Zet dat telefoontje uit je hoofd.'

Filou maakt een gekke sprong, maar komt mooi op haar vier poten op het terras neer. Met een groot leeg slakkenhuis aan een touwtje speel ik voor muis. Ik ben Filou te vlug af, ze krijgt de muis niet te pakken.

'Plaag die poes niet zo!' roept mama vanuit de keuken.

Mama maakt aan de keukentafel een nieuwe inventaris op. Een lijst van wat er moet gebeuren in het huis. We wonen hier nu al een halve week en de lijst wordt alsmaar langer. Al het houtwerk moet vervangen worden, er moeten zwaardere elektriciteitsleidingen komen, want er zijn constant kortsluitingen, de keuken en de badkamer moeten vernieuwd worden, de boiler doet het niet meer... De kelder is het grootste probleem. Als het regent, loopt die helemaal onder en wemelt het er van de slakken. Papa installeerde er een pomp. Maar 's nachts moet die uit, want door het lawaai kan mama niet slapen. Als het dan regent, is de stank die 's morgens naar boven komt niet te harden.

'Lana, wat denk je ervan als we die blinde muur in het salon vervangen door grote schuiframen? Dan kunnen we van daaruit ook op het terras', stelt mama voor.

'En de tuin richten we in zoals op die reproductie van Monet die in ons appartement boven de haard hing', droomt ze verder. 'Met veel groen, blauw en paars en een vijvertje vol witte en roze waterlelies. En over dat vijvertje bouwen we zo'n houten Japans bruggetje, dat we 's avonds verlichten met kaarsen.'

'Ik vind die metershoge netels ook wel mooi', stop ik haar.

Ongelofelijk hoe ze zichzelf voor de gek houdt. De tuin is één grote wildernis. Doorheen de netels kronkelt een pad tot aan het bos dat achter de tuin ligt. Maar verder dan het terras ben ik nog niet geweest en ik ben er niet happig op om op verkenning te gaan. Ik ben een stadskind, een balkonnetje met een pot geraniums vind ik ruimschoots voldoende. Een tuin is voor mij een park, een plek waar je je hond kan uitlaten of waar mensen wat verloren naar de bomen staren. Zoals de oudjes dat de hele dag deden in het tehuis bij opa. In de tuin werkte een jongen die een beetje aan de trage kant was. 'Kijk,' toonde opa me, 'hij plant de bloemen niet volgens kleur of vorm. Hij plant ze zodat hun geuren zich optimaal mengen. Je moet de bijen eens bezig horen, het lijkt wel alsof er alleen in deze tuin bloemen bloeien.'

In de perken stond alles inderdaad nogal warrig door elkaar. Opa kon het goed met de jongen vinden en daar was ik blij om, want zo voelde hij er zich toch niet helemaal alleen. En in de tuin was het leuk om te zitten, alleen de hoge muur eromheen vond ik minder. Er lagen vast glasscherven bovenop, zodat niemand kon ontsnappen.

Op het bankje in de zon had opa zijn plekje gevonden. 'Het is hier rustig, muisje', zei hij. 'Ik hoef niet naar links of naar rechts te kijken voordat ik het tuinpad oversteek.'

'Toch kan ik niet geloven dat je het hier naar je zin hebt', antwoordde ik. 'Al die oude mensen die amper iets tegen elkaar zeggen.'

'Wat wil je, de meeste onder hen leven in het verleden. De kans dat je elkaar daar tegenkomt is klein', verontschuldigde hij hen.

Papa zei net hetzelfde over opa: 'Voor opa is de tijd bij oma's dood stil blijven staan en nu tikt die achteruit. Opa's tijd is de onze niet meer.'

Maar volgens mij was het anders: opa miste oma, en elke dag werd dat gemis groter. In dat tehuis was oma's bestaan volledig gewist, zodat het gemis monsterlijk groot werd en het opa opslokte.

'Hij klaagt toch nergens over', herhaalde mama, elke keer dat ik haar beslissing aanvocht.

Daarin had ze gelijk, opa kloeg nergens over. Alleen over dat gezonde eten was hij niet te spreken. 'Geen zout, geen vet, geen smaak. Ik denk dat ze het voorkauwen: een service van het huis', grapte hij.

Als ik hem in mijn eentje bezocht, nam ik bami mee. Die aten we dan samen stiekem in de tuin op. Van opa mocht ik er niets van aan mama zeggen, anders zeurde ze vast weer over zijn cholesterol.

'Is die bami niet goed voor jouw hart?' vroeg ik hem bang.

'Ach muisje, ik kan niets beter bedenken voor mijn hart dan hier met jou op een bankje bami eten', zei hij met zoveel overtuiging dat ik hem geloofde.

'Lana, je zit weer te dromen. Loop eens tot aan het bos', zegt mama. 'Wat boslucht zal je goed doen. Ik ga ondertussen even rusten, ik ben zo moe en ik heb hoofdpijn.' Ze vlijt zich languit in de strandzetel op het terras.

Ik steek de nepmuis in mijn zak. Filou protesteert en haakt haar klauwen in mijn lange broek. 'We lopen tot aan de rand van het bos, geen stap verder', fluister ik in haar oortje.

Het pad werd onlangs nog gebruikt, aan beide kanten zijn de netels vertrapt. Wie heeft hier wat te zoeken? Over dit wegje wandel je niet zomaar. Filou vertrouwt het ook niet, ze loopt dicht achter me aan. Halverwege komt het pad uit op een open plek met in het midden een miezerig boompje. Filou miauwt klagelijk, dan rent ze op een drafje verder.

'Filou, wacht op mij!' roep ik. Ik haast me achter haar aan.

Als ik bij het bos kom, is ze nergens meer te bespeuren. 'Filou! Filou?!'

In het bos is het donker en verdacht stil. Geen vogel die fluit. 'Filou?' Ik ben bang, ik voel me bespied. Er knapt een tak, ik draai me om...

'Grijp haar!'

Vanachter de bomen stormt een groepje kinderen op me af. Ze grijpen me vast, wild verweer ik me.

'Au! Hou haar benen vast!'

'Pas op! Het kreng bijt!'

Ik maak geen kans, ze zijn met te veel. Iemand draait mijn arm om. Ik krijg een harde stomp in mijn zij en zak kreunend door mijn knieën. Eén van hen springt boven op me. Hij klemt zijn gespierde dijbenen om me heen. Ik snak naar adem. Ik wil hem in het gezicht krabben, maar hij grijpt mijn polsen vast en duwt ze strak tegen de grond. Zijn hoofd hangt vlak boven het mijne.

'Eén kik en je bent er geweest.'

'Ga van me af!'

'Je vraagt erom.'

Hij kijkt me minachtend aan en spuwt me in het gezicht. Ik krijg tranen in mijn ogen, maar dwing mezelf om niet te huilen, anders ben ik helemaal verloren. Rondom mij staan nog drie jongens. Een kleine met een te korte broek, een lelijkerd wiens bovenste tanden scheef staan en een wat oudere met een hoog voorhoofd. De eerste twee kijken me triomfantelijk aan, alsof het een eerlijk gevecht was. De derde kijkt dwaas, alsof hij nu pas aankomt en er niets van snapt.

'Wat doen we met deze bleekscheet?' vraagt diegene die boven op me zit. Zijn greep om mijn polsen doet pijn, hij is ijzersterk.

De jongen met het hoge voorhoofd wil iets voorstellen, zijn mond gaat open en blijft openhangen zonder dat er woorden komen. Zijn dwaze blik beangstigt me.

'De vuurproef!' schreeuwt de kleinste in zijn plaats. 'Naakt de netels in!'

'Of we voelen om beurt in haar broekje', giechelt de lelijkerd.

Ik krijg het benauwd, mijn hart gaat als een razende tekeer.

'Ze krijgt één kans', zegt plots een meisje achter me. 'Kom van haar af.'

De gespierde jongen volgt het bevel onmiddellijk op. Ik veeg zijn spuugsel van mijn wang. Ik wil het op een lopen zetten, maar dan zie ik dat het meisje Filou bij haar halsband vastheeft. Ze zit neergehurkt, en kijkt me vanachter dikke brillenglazen koud aan.

'Is dit stinkbeest van jou?'

Ik slik. 'Laat haar met rust.'

'Ho, ho, is dat jouw dankbaarheid omdat ik je een kans geef?!'

Ik pers mijn lippen op elkaar. Ik heb veel zin om het meisje een duw te geven, zodat ze achterovervalt, maar de gespierde jongen houdt me scherp in het oog. De kleine en de lelijkerd lachen heimelijk, ze hebben er duidelijk plezier in.

Het meisje taxeert me van top tot teen. 'Dachten jullie zomaar in het huis van dokter Laurens te komen wonen? Zonder ons wat te vragen?' daagt ze me uit.

Ik geef geen antwoord.

De gespierde geeft me een tik. 'Tong verloren?'

'Het stond te koop', zeg ik zo neutraal mogelijk.

'Stinkerds met veel poen', vloekt de kleinste terwijl hij op de grond spuwt. Hij is duidelijk de broer van het meisje. Hij kijkt me op dezelfde ijzige manier aan.

'Je weet toch wat de dokter met zijn vrouw gedaan heeft?' vraagt het meisje spottend.

Ik blijf zwijgen.

'Ze heeft ook haar verstand verloren', lacht de lelijkerd. 'De wraak van de gekkin.'

'Ze weet het niet', antwoordt de kleinste in mijn plaats.

'Natuurlijk weten ze van niets. Anders was het huis nooit verkocht geraakt', zegt het meisje.

Ik begrijp niet waarover ze het hebben.

De lelijkerd wil nog wat zeggen, maar het meisje gebaart dat hij moet zwijgen.

'Genoeg.' Ze kijkt me opnieuw met lege ogen aan. 'Je krijgt één kans om te bewijzen wat je waard bent. Eén kans, meer niet. Hoe laat is het?'

De jongen met de dwaze blik toont zijn polshorloge aan de kleinste.

'Het is tijd,' zegt die spijtig, 'we moeten door, anders gaat papa weer...'

Het meisje knikt dat hij zich geen zorgen moet maken. 'Kom morgenmiddag terug naar hier, dan zeggen we wat je moet doen. Slaag je in de proef, dan vertellen we je wat er in het huis gebeurde en krijg je dit mormel terug.' Ze komt overeind en houdt Filou ruw bij haar nekvel omhoog. Filou snakt naar adem. 'Kom je niet, dan zullen wij uit verveling dit harige stinkdier pijn moeten doen.'

'Heel veel pijn', herhaalt de gespierde jongen sadistisch.

Dan draait het meisje zich om. 'Kom, we gaan.' De jongens volgen haar. 'En als ik jou was, zou ik vooral niets tegen mammie en pappie zeggen. Voor verraders kennen we geen genade!' roept het meisje nog na. Waarop de gespierde zich omkeert en met zijn vinger een snijbeweging over zijn keel maakt.

Ik hol terug naar huis. Bij de open plek val ik huilend op mijn knieën. Mijn hele lichaam trilt. Ik moet braken van ellende.

4

Papa komt stil mijn kamer binnen. 'Muisje?'

Normaal antwoord ik met 'Piep', maar deze keer heb ik er geen zin in.

Ik knip mijn nachtlamp aan. Klaarwakker ga ik rechtop zitten en trek mijn knieën dicht tegen me aan.

Hij geeft me een kus op het randje van mijn oor. Zijn kusje kriebelt alsof het pootjes heeft. Ik wrijf het jeukerige gevoel weg. Papa forceert een glimlach, hij ziet er uitgeblust uit. Hij heeft duidelijk een baaldag achter de rug. Hij gaat bij het raam staan en staart afwezig in het donker.

'Er zijn problemen op het werk en ik heb dienst. Dus als vannacht de telefoon rinkelt, is het de hoofdcomputer. Als je hem hoort, treuzel dan niet, elke minuut vertraging kost ontzettend veel geld.'

Ik knik. Die hoofdcomputer is een soort sprekende robot. Zelf heb ik hem nog nooit aan de lijn gehad, maar mama zegt dat zijn stem haast niet verschilt van een menselijke stem.

'Waarom belt die niet op je gsm?'

'Er is hier geen bereik.'

'We zitten dus toch voorbij de bewoonde wereld.'

'Het huis ligt in een dal. Vooraan in de straat lukt het wel.'

'Wat zegt zo'n computer?'

'Hij geeft een code door. Met die code weet ik wat het probleem is.'

Ik denk na, dat akelige telefoontje van de eerste dag zit me nog dwars, maar een robot die tilt slaat, lijkt me te vergezocht.

Papa wendt zijn blik af, hij staart opnieuw afwezig naar buiten. Langzaam knoopt hij zijn das los. Vroeger keken we samen vaak vanaf het balkon naar de lichten die in de stad aan- en uitgingen. We verzonnen er om beurten een verhaal bij. Verhalen die soms bruusk stopten omdat mama riep dat het bedtijd was. Dan deed papa alsof hij de rest van het verhaal in de barst tussen de gebroken balkontegels veegde. In die barst zaten al een boel verhaalresten. 'Met wat geluk kiemen die woorden en groeit er op een dag een reuzenverhaal uit. Zo'n bizarre boom met vreemde vruchten', had hij er de eerste keer bij gezegd. Nu we verhuisd zijn, krijgt ook dat verhaal geen einde.

Papa zucht diep.

'Ik wil hier weg', beantwoord ik zijn zucht. 'Het huis moet ons niet, de buurt moet ons niet...'

'Het komt wel goed, muisje. De verbouwing heeft alleen meer tijd nodig dan mama dacht.'

Mijn opmerking over de buurt is niet tot hem doorgedrongen. Hij moet echt doodop zijn.

'Luister...' Hij verzet de viskom en opent het venster. Buiten raspen de krekels vrolijk hun poten tegen hun lijfjes.

Ik schud mijn hoofd, ik hoef die vrolijkheid niet. 'Ik wil terug naar de stad, ik mis het geraas van de auto's en hun getoeter... Ik word hier gek van de stilte.'

Ik kom mijn bed uit en druk me tegen hem aan. Zachtjes gaat hij met zijn hand door mijn haar.

'Eiks!' gil ik plots. 'Er zit een slak bij de vis.'

'Dat beest doet geen kwaad.'

'Ze verpest het water. Haal haar eruit.'

Papa vist de slak uit het water. 'Het is nog maar een babyslakje.'

Ik laat me niet verwurmen.

'Het zit hier vol van die slijmbeesten.'

'Dat komt door het vocht.'

'Slakken horen buiten, ze eten toch alleen maar groen.'

'Er zijn er ook die paddenstoelen eten.'

'Van die bruine schimmels?'

'Dat zou kunnen.'

'Doe haar weg', zeg ik resoluut.

'We zullen haar een kans geven.' Hij zet de slak buiten op de vensterbank.

'Ik ben Filou kwijt', flap ik eruit.

'Ze zal op verkenning zijn, op muizenjacht in het bos...'

'Het is een stadspoes, ze eet alleen blikvoer.'

'Ze duikt wel weer op als ze honger heeft. Ga nu maar slapen. Kom, ik stop je onder.' Hij geeft me een duwtje in de richting van mijn bed. Traag stap ik mijn bed in. Papa trekt de deken over me heen en kust me op mijn voorhoofd.

'Wat als Filou niet terugkomt? Wat als iemand haar gevonden heeft en...'

'Die brengt haar wel terug.'

Ik wil nog wat zeggen, maar hij legt zijn vinger op mijn mond.

'Muisje, ik ben moe en ik moet nog werken. Slaapwel.' Hij knipt mijn nachtlamp uit.

Ik trek de deken hoger en neem mijn beer dicht bij me. Ik had willen zeggen: wat als een slecht iemand haar vindt en haar pijn doet? Maar voor papa bestaan er geen slechte mensen. 'Mensen doen domme dingen. Omdat ze niet nadenken, of omdat ze kort- zichtig zijn, doordat hun ikje te veel in de weg staat', zegt hij. 'Maar daarom zijn ze nog niet slecht.' Maar papa weet niet alles. Hij weet ook nog altijd niet wat er echt met oma's hond gebeurde.

De dag dat de hond kwijt was, was opa volledig van de kaart. Hij wist ons zelfs niet te zeggen waar de hond zich had losgetrok- ken. Papa en ik zochten tevergeefs: in het park, in de buurt van het station, op het politiebureau... Toen we thuiskwamen, was mama in alle staten: de bewaker van het kerkhof had net gebeld, of we ons konden ontfermen over opa, want die was huilend oma aan het opgraven. De dokter gaf opa een slaapspuitje. Toen opa de vol- gende dag wakker werd, herinnerde hij zich niets meer van het incident. Enkele dagen later maakte ik met hem een wandeling op de boulevard van het ziekenhuis toen hij plots naar de hond floot.

'Maar opa, er is toch geen hond meer?'

Hij had me verward aangekeken.

Ik vertelde het voorval aan papa. 'Opa is in de war, muisje. Zijn wereld is rafelig aan het worden. Er komen gaten in, en door die gaten heen ziet opa vreemde dingen.'

'De hond heeft zich vast door zo'n gat gewrongen om weer bij oma te zijn', antwoordde ik.

Van het ziekenhuis verhuisde opa naar het bejaardentehuis. Mama was verdacht blij. Ze was zo blij dat ik me afvroeg of zij de hond niet stiekem naar het asiel had gebracht, en het hele kerkhofverhaal had verzonnen. Nu weet ik beter: Xsang vertelde me wat er precies gebeurde.

Opa was op wandel met de hond. Onderweg maakte hij met Xsang een praatje. Ze hadden het over het bezoek aan het bejaardentehuis, over de directeur die weigerde om oma's hond toe te laten. Daarop begon de hond te janken, alsof hij hun woorden had begrepen. Zonder aanwijsbare reden liep de hond de straat over, net op het moment dat er een wagen aankwam. De wagen reed door, oma's hond bleef liggen. Xsang raapte de hond op, hij kon er niet bij waarom de hond zomaar de straat had willen oversteken. Maar opa zei hem dat hij oma op de hond had horen roepen van de overkant. Hij vroeg Xsang om de hond bij te houden tot hij een plek gevonden had om hem te begraven. En omdat opa wegbleef, wikkelde Xsang de hond in folie en legde hem in zijn diepvriezer. Xsang is een geduldig man, maar de inspectie was dat niet. Ze wilden Xsangs uitleg niet horen.

Als papa meer tijd heeft, vertel ik het hem.

Ik keer me op mijn andere zij, het slapen wil niet lukken. Ik denk aan Filou en aan die horzels van kinderen. Papa's mooie woorden dat er geen slechte mensen bestaan, blijven niet overeind. Daarbuiten geldt het recht van de gemeenste. Met een berenpoot veeg ik een traan weg. Wie weet wat voor gruwelijks ze met Filou van plan zijn. Jorien zou die rotkinderen wel weten aan te pakken. Maar Jorien is hier niet. Ik knip mijn nachtlamp aan en neem mijn brievenmap uit de doos.

Zusje,

Het is hier om te huilen. Het huis is een miskoop, zo donker en som-
ber. Op het hout van de ramen en de plinten groeit schimmel. Papa
beweert dat het wel goedkomt, dat het enkel wat langer duurt dan
voorzien, maar ik geloof er niets van. Ik pak mijn spullen niet uit.
Als we hier blijven, beschimmelen we zelf. Zeker weten.

 Het stinkt hier ook. De stank komt vanuit de vergrendelde bij-
kelder. Als papa tijd heeft, vraag ik hem om die deur open te bre-
ken. Volgens mij zit daar een monster opgesloten dat met zijn vieze
adem het hele huis verpest. Van onder de deur kruipen hele hordes
slijmbeesten. Het lijkt een broedkamer van slakken. Wie weet is dat
monster een slakkenkoningin, zo'n reusachtig slijmbeest dat de hele
tijd eieren legt. Tot in mijn kamer zitten er van die kleverige gru-
wels. Papa zegt dat sommige slakken schimmels eten. Stel je voor:
gedrogeerde slakken, die 's nachts langs de poten van je bed omhoog-
glibberen en in een van je neusgaten kruipen om je hersens weg te
vreten. Mama klaagt zo al over hoofdpijn. Ze kraamt ook de hele
tijd onzin uit. Ze wil van de tuin, die vol netels staat, een Monet-
schilderij maken. Wat denk jij? Kroop er een slak in een van haar
neusgaten?

 Vandaag was het helemaal een verschrikkelijke dag. Achteraan
in de tuin botste ik op een stelletje sadisten: vier jongens en een
meisje. Een van de jongens spuwde me in het gezicht en een andere
wou zijn hand in mijn broek steken. Ze vroegen me of ik wist wat
er zich vroeger in dit huis had afgespeeld. Ze bazelden iets over een
gekkin. Het ergste is dat ze Filou van me afpakten en met zich mee-
namen. Morgen moet ik een proef afleggen, als ik slaag vertellen ze
me over die gekkin. Ik heb geen zin in hun proef, maar als ik niet
kom opdagen, bekoopt Filou het... Ik ben bang. In mijn eentje heb ik
geen kans tegen hen. Dat meisje is echt gemeen en zij heeft de lei-
ding. Was jij maar hier, ik mis je zo.

Je zusje Lana

Ik stop de brief in een enveloppe en schrijf Joriens adres erop. Elkaar schrijven is niet hetzelfde als elkaar zien. Stom van mama om zo de pest te hebben aan Jorien. Anders had ze de rest van haar vakantie hier kunnen doorbrengen. Met z'n tweeën hadden we er wel wat van gemaakt. Misschien moet ik er papa nog eens naar vragen. Hij vindt Jorien wel oké. 'Een beetje oud voor haar leeftijd', zei hij eens. 'Maar dat groeit er met de jaren wel uit.'

Maar hoe kun je nu oud voor je leeftijd zijn? Vroegrijp bedoelde hij zeker niet, want Jorien is nog even plat vooraan als achteraan. Als ze haar haar in piekjes omhoog zet, houdt iedereen haar voor een jongen.

Mijn zusje Jorien. We noemen elkaar zusje, want we hadden allebei graag een zusje gehad. Nu nog trouwens, hoewel het verschil in leeftijd tussen ons en onze droomzusjes alsmaar groter wordt. Maar een babyzusje waarmee ik kan rondtoeren in een kinderwagen, is voor mij ook oké. Papa wil er ook nog wel een kleintje bij, maar mama vindt dat ze genoeg last heeft met mij. Ze liet twee klemmetjes in haar buik plaatsen, waardoor dat volgende kleintje al jaren strop zit. Jammer, want met een echt zusje zat ik hier nu niet alleen.

Wie weet ben ik er nog wanneer Jorien de brief leest. Misschien leest ze eerst een gruwelijk bericht in de krant. *Meisje van 11...* Ik wil er liever niet aan denken. Ik knip mijn nachtlamp uit.

Ik wou dat ik opa ook een brief kon schrijven, dan kon ik hem vragen wat ik morgen het best doe, hij zou het zeker weten.

'Vandaag gaan we naar de stad, nieuwe tegels voor de badkamer kiezen.'

Ik kijk mama verschrikt aan. Dat kan niet, ik moet Filou ophalen.

'Ik heb geen zin om naar de stad te gaan', zeg ik aarzelend.

'Hoezo? We kunnen 's middags bij de Chinees eten.'

'Van dat vettige spul? Waar je vorige keer ziek van werd?'

Ze kijkt me zwijgend aan en eet verder. Maar plots staat ze recht en buigt zich over de wasbak. Ze kokhalst. Ze spoelt haar mond met een slok flessenwater. Ze zou beter naar de dokter gaan.

'Gaat het?'

'Het is niets.' Ze gaat opnieuw zitten. 'Lana, nu hebben we tijd om samen dingen te doen.'

'Kunnen we morgen niet gaan?'

'Ik heb ook een afspraak met het ontwerpbureau voor de nieuwe keuken.'

'Ik zou Jorien schrijven vandaag.'

'Jorien zit in Spanje, dus die brief kan wachten.'

'Nee, dat kan niet.'

'Je gaat mee.'

'Ik ga niet mee.' Ik sta op.

'Lana!'

'Nee. Nu er tijd is om samen dingen te doen, is er ook tijd om mij eerst te vragen wat ik van die dingen vind. Jij beslist altijd alles alleen. Nooit vraag je wat ik ervan denk! Dit huis, opa...'

'Oh, nee. Toch weer niet opa. Ik dacht dat we dat hoofdstuk hadden afgesloten.'

'Jij misschien, maar ik niet!'

'Opa was ziek, Lana. Alzheimer! Je weet niet wat ons te wachten stond als...'

'"Als", maar er is geen "als" gekomen en ik zal het dus nooit weten!' roep ik en ik loop de keuken uit. In mijn kamer gooi ik me op bed en barst in snikken uit. Beneden blijft het stil, mama komt niet achter me aan. Gelukkig maar, want ik heb geen zin in nog meer geschreeuw. Daarbij, ik mag schreeuwen wat ik wil, ze hoort het toch niet. Zij heeft altijd gelijk.

Alzheimer, dat was het moeilijke woord dat die dokter had bedacht. Ik kan het niet onthouden, omdat het een leugen is. Mama las er boeken over, en ja, die liepen niet goed af. 'Mensen die aan Alzheimer lijden, herkennen uiteindelijk hun eigen kinderen niet meer', las ze hardop. Dat was erg ja, maar opa wist maar al te goed wie ik was. Een enkele keer was hij in de war. 'Mijn hersens worden zo stijf', kloeg hij dan. 'Vroeger vloeiden mijn gedachten soepel in elkaar over. De laatste tijd gebeurt dat zo hortend en stotend.'

'Het wordt in zijn hoofd als in een labyrint met doodlopende steegjes waarin de dingen zoekraken', zei papa. Soms kon opa inderdaad niet meer op de naam van eenvoudige dingen komen. Dan wees hij ernaar en zei ik hem de naam. Maar alle oude mensen vergeten. Dat is oud worden, er komt sleet op alles. Ik vond het pas eng wanneer hij aan vroeger dacht, dan werden zijn ogen waterig en mompelde hij echt vreemde dingen. Dan hield hij me voor oma. Pas later begreep ik dat het door oma's kettinkje kwam. Soms is een klein detail belangrijker dan al de rest, las ik ergens. Misschien was het niet eens zo vreemd, ik had soms ook het gevoel dat oma nog met ons aan tafel zat, of dat ze samen met ons in de tuin wandelde. Misschien sjokte oma inderdaad als een oude engel steunend op haar stok een eindje met ons mee. 'Het is niet omdat wij die andere wereld niet zien, dat hij niet bestaat', had ze me vroeger toevertrouwd. 'Soms moet je dingen eerst geloven voor je ze kunt zien.'

Beneden trekt mama de voordeur achter zich dicht, er volgt nog een harde slag van het portier van haar wagen. Ze rijdt de straat op. Pas als het buiten opnieuw stil is, ga ik voor het raam staan. Ik had een andere uitvlucht moeten verzinnen dan een brief aan Jorien, dan was het vast niet op ruzie uitgedraaid. Wat liegen betreft, had ik beter les genomen bij Jorien.

Zij liegt als de besten. 'Er is niets moeilijks aan. Je moet gewoon zelf in je leugen geloven, dan merkt niemand het', beweert ze. 'Daarbij, jij hebt geen keuze. Bij jouw moeder maak je met de waarheid geen schijn van kans. Je riskeert dat ze een aanval krijgt.' Maar als mama erachter komt dat ik heb gelogen, gaat ze ook als een razende tekeer. Jorien vindt dat de meeste mensen veel te zwaar tillen aan de waarheid, liegen voor het goede doel is niet erg. Maar daarover heb ik toch mijn twijfels, want met dat goede doel bedoelt ze vooral zichzelf.

Ik roer met mijn vinger in het water van de vis. 'Wat denk jij, visje? Had ik mama alles moeten vertellen? Ik weet niet eens waar die kinderen wonen, of hoe ze heten.' Lusteloos zwemt de vis heen en weer.

'Nee visje, het is beter dat mama nergens van weet. Ze zou erop gestaan hebben om samen naar de afspraak te gaan, zodat ik daarna nooit meer in mijn eentje naar buiten kan. Stel dat we hier blijven wonen, dan ga ik waarschijnlijk naar dezelfde school als die rotkinderen en ik heb geen zin om een schooljaar lang iedere dag voor schut gezet te worden. Ik moet het zelf oplossen. Straks geef ik ze er alle vijf van langs.'

De vis zinkt zwaar naar de bodem.

'Geloof je er niets van?' Ik geef een tik tegen het glas, maar hij blijft roerloos liggen. Een gezonken schijfje maan. Zijn zilveren kleur is fletser dan anders. Vissen zijn gevoelige dieren, ze weten wanneer het misgaat. Er was geen reden om zo te schreeuwen tegen mama. Het klonk zoveel bozer dan ik wou. Maar ik kan het niet helpen: als ik schreeuw, dan schreeuw ik voor tien en daarna is het te laat. Met woorden kun je niet achteruit, zeggen dat je de dingen niet zo bedoelde is flauwekul.

Opa hield ook niet van ruzie. 'Over mij moet je geen ruzie maken, muisje', zei hij. 'Ruzie is verloren tijd.' Hij pakte zelf zijn koffer om naar het tehuis te gaan, alsof hij met vakantie ging. Zijn vakantie was van korte duur. Hij kreeg de tijd niet om een van die stille oude mensen te worden. Maar na zijn dood escaleerden de ruzies tussen mama en mij. Mama wou dat ik in therapie ging. Ze maakte een afspraak met een psychiater. Volgens papa zag zo'n dokter in alles een probleem en zou die de zaak nodeloos verergeren. Papa was tegen de therapie, mama moest de afspraak afzeggen. Gelukkig maar.

Nog meer dan drie uur te gaan voor ik naar die rotbende moet. Uit de 'LKS'-doos haal ik mijn riem met de moeilijke gesp en drie onderbroekjes. Ik zal maar op zeker spelen, voor het geval het misloopt.

Helemaal onderaan in de doos zit Joriens afscheidscadeau, het is een boek en het hoort dus eigenlijk in de andere doos te zitten, mama heeft echt geen grip op Jorien. 'Griezelhuizen van formaat' luidt de titel van het boek. Op het voorplat staat een wit huis met gesloten luiken. Het huis wordt omringd door donkere bomen en vlak voor het huis brandt een lantaarn. Als je enkel naar het huis kijkt, is het nacht. Maar als je naar de lucht kijkt, zie je een blauwe hemel met witte wolkjes. Het schilderij klopt niet, maar het gekke is dat je niet onmiddellijk doorhebt wat er niet klopt. Het is van een bekende Belgische schilder, wist Jorien, maar zijn naam ben ik vergeten. Jorien had lang naar het boek gezocht. 'Je weet nooit in wat voor een huis jullie terechtkomen. Je kunt maar beter op het ergste voorbereid zijn.' Het is een bundel kortverhalen. Het eerste griezelhuis is het kasteel van Blauwbaard. Jorien las me het verhaal voor.

Blauwbaard is diegene die zeven vrouwen in mootjes hakte. Zes omwille van hun nieuwsgierigheid, omdat ze de verboden kamer betraden waarin hij de vleesmoten van zijn vorige vrouwen bewaarde. Maar wat zijn eerste vrouw verkeerd deed, dat kom je niet te weten. 'Waarschijnlijk niets', dacht Jorien. 'Zo zijn mannen nu eenmaal, ze hoeven niet echt een excuus te hebben om het beest uit te hangen.' In de beenhouwerij hoort Jorien soms wrede verhalen. Je kunt het je niet voorstellen wat mensen elkaar allemaal aandoen. Zulke verhalen doen niet mee in ons tijgeroogspel, want er is niets leuks aan.

Jorien had het boek zelf al gelezen. 'Het engste verhaal is dat van die zolder waarop een schommelstoel vanzelf in beweging komt. En het huis met die zwarte grafsteen achteraan in de tuin, brrrr... Bij vollemaan wordt de steen vloeibaar en komen er grijparmen uit tevoorschijn.' 'Leuk cadeau, dank je', probeerde ik haar te stoppen. Maar Jorien wist van geen ophouden: 'In de andere verhalen hoor je kettingen over de vloer slepen, bots je in het donker op schuimbekkende zombies en vinden geesten pas rust nadat ze zich hebben gewroken.' Toen strekte ze haar armen voor zich uit, liet haar ogen wegdraaien en stapte op me toe met een schrille stem: 'Ik zoek een mens.' Ik gilde zo hard dat ze beneden in de beenhouwerij vast dachten dat er iemand gekeeld werd.

Met een diepe zucht leg ik het boek op mijn nachtkastje. Nu we zelf in een griezelhuis wonen, heb ik geen zin meer in lugubere verhalen. Nieuwe badkamertegels en andere keukenkasten zullen het verschil niet maken. Het lijkt alsof over het huis een beklemmende schaduw hangt, in geen enkele plaats vind je een plekje zon. Rusteloos sta ik op en ga terug naar beneden.

In de keuken liet mama de tafel gedekt achter, ook niet haar gewoonte. Meestal als we ruzie maken, begint ze daarna naarstig op te ruimen. Het gaat echt niet goed met haar. Ik ruim de boel op en doe de afwas in de hoop dat ze daardoor straks minder boos is. Precies op het moment dat ik de handdoek aan de haak hang, gaat de telefoon. Ik aarzel, stel dat het opnieuw die hese kraakstem is, maar nog voor ik in de gang ben, stopt het gerinkel. Ik heradem, dat was papa. Het gebeurt vaak dat ze hem storen net op het moment dat hij ons probeert te bellen.

De telefoon rinkelt opnieuw.

'Papa?'

'Ze zoekt en zoekt en zoekt.'

Er trekt een rilling langs mijn rug tot aan mijn nek.

'Wie ben je?' vraag ik met een klein hart.

'Ga daar weg, voor het te laat is...'

'Wie ben je?' vraag ik opnieuw. 'Wat moet je...'

Geen antwoord, de sterretjes verdwijnen van het telefoonscherm.

Ik leg de hoorn neer en blijf ernaar staren, alsof op het schermpje toch nog het nummer van de beller zal verschijnen. Mama heeft ongelijk, dit is geen dwaze grapjas die lukraak een nummer intoetst. Deze man kent ons nummer. Ik snap het niet. Waarom die geheimzinnigheid? Wat bedoelt hij met: ze zoekt? Waar zoekt ze naar? Zijn waarschuwing klinkt als een bedreiging. Misschien is het zijn bedoeling dat we bang worden, zodat we onmiddellijk onze koffers pakken. Mama had het over een tweede koper. Zit hij hier achter? Ik ga op de trap zitten om na te denken. Maar het enige dat in me opkomt, is dat ik beter met mama was meegegaan. Sorry Filou.

Ik wou dat ik die rotproef al achter de rug had. Al dat getob is nergens goed voor.

In de stad is er genoeg afleiding om niet te gek te worden van je eigen gedachten. Vaak zwierf ik in de winkelstraten van de ene etalage naar de volgende, tot bij het station, waar een accordeonist oude Franse liedjes speelde. '*Des chansonnettes*', noemde opa ze. Als ze die op de radio draaiden, zong hij uit volle borst mee. 'Zulke liedjes verdrijven de muizenissen uit je hoofd', zei hij. 'Je kunt niet anders dan er vrolijk van worden.' Het was waar dat de mensen iets minder grimmig verder stapten nadat ze de accordeonist hadden gehoord. Maar op opa's begrafenis draaiden ze zulke liedjes ook en daar hielp het niets. De hele dag lang bleef één van die vrolijke deuntjes in mijn hoofd zitten, maar tegen de avond was ik nog ziek van verdriet.

Ik neurie zacht een van de liedjes, '*Boum. Quand notre coeur fait Boum. Tout avec lui dit Boum*', het is van Charles Trenet: opa's favoriet.

Maar als ik stop, is het opnieuw stil in huis. 'Mensen worden gek van stilte', wist Jorien te zeggen. 'Van volstrekte stilte krijg je een benauwd gevoel, alsof je onder een stolp zit. Je begint tegen jezelf te praten en na een tijd vallen je oren van je hoofd, omdat die nergens meer voor dienen.'

Buiten begint het zacht te regenen.

'Als ik er niet meer ben en het regent, dan denk ik daarboven aan jou', zei opa een paar dagen voor zijn dood.

'Opa, het regent in dit land iedere dag.'

'Ja en?' knikte hij lachend.

'Help me straks, opa, ik wil niet dat ze me pijn doen.'

Misschien stortregent het en komen ze niet opdagen. Maar wat dan met Filou?

6

'Daar is ze', kondigt de kleine jongen me aan. Hij loopt voor me uit en springt over een struik wilde bramen. Ik blijf met mijn broek in de doornen haken. Zou ik niet beter terugkeren, nu het nog kan? Nee, ik maak mezelf wat wijs. Als ik nu rechtsomkeer maak, villen ze me levend. Ik ruk mijn broekspijp los.

Het clubje van vijf is voltallig. De gespierde leunt met zijn rug tegen een boom. In zijn handen houdt hij een stevige tak. Eén na één breekt hij de kleinere zijtakken af. Wanneer ik voor hem sta knakt hij de laatste twijg, waaraan slechts één blad hangt, met een gemene grijns af.

'Geef', zegt de lelijkerd.

Hij scheurt het groene blad voor mijn ogen langzaam in franjes. Bij ieder scheurtje lacht hij zijn tanden verder bloot. Ze lijken nog schever te staan dan gisteren. Dan geeft hij de twijg als een estafette door aan de achterlijke jongen. Die steekt de twijg in zijn mond en kauwt erop, tot grote hilariteit van de anderen.

Het meisje staat recht, op haar arm heeft ze een lelijke schram. Filou heeft haar best gedaan, maar ik zie haar nergens.

'Waar is mijn poes?'

Het meisje knikt de anderen samenzweerderig toe. 'Eerst de proef. Blinddoek haar.'

Een blinddoek? Wat zijn ze van plan? De gespierde jongen stapt op me af en haalt een halsdoek uit zijn broekzak. Ik laat hem begaan. Hij bindt hem strak om mijn hoofd, er dringt niets van licht door. Dat ze maar niet denken met mij te kunnen doen wat ze willen. Als het me te link wordt, dan...

'Eén ruk aan de blinddoek en jouw stinkdier is er geweest', raadt het meisje mijn gedachten.

De gespierde duwt me vooruit: 'Stappen.'

'Dwaalde de gekkin vannacht weer rond in het huis?' vraagt de lelijkerd. 'Heeft ze hard gegild?'

Ik heb veel zin om tegen hem te gillen, maar ik beheers me.

'Als de gekkin tekeerging als een razend beest, sloot de dokter haar op', gaat hij verder. 'En toen hij het niet meer uithield, heeft hij zijn bijl gepakt en...'

'Ga je nu zwijgen?! Sufkop!' zegt het meisje.

Ik voel hoe de gespierde achter mijn rug met zijn stok uithaalt naar de lelijkerd.

'Auw!'

Hij loopt mokkend verder.

Die anonieme beller had het ook over een vrouw die ronddoolt. Had hij het over de vrouw van de dokter, de gekkin? Had ze met haar gekte ook de dokter tot waanzin gedreven, zodat hij als een Blauwbaard tekeerging en haar vermoordde en in mootjes hakte? Verstopte hij die mootjes dan in de bijkelder? Vandaar dan die stank. Jakkes. Maar waarom die akelige telefoontjes? Wat hebben wij met dat verleden te maken? Misschien als ik dat kan uitvissen...

'Wat eet jouw stinkdier zoal?' vraagt het meisje me.

Ik antwoord niet, ik wacht haar volgende zet af.

'Niets? Dat is precies wat we haar gaven en toch trok ze een vieze snoet.'

De anderen lachen instemmend.

Ik probeer kalm te blijven, ik weet dat ze me zit te jennen. Ze wil dat ik mijn blinddoek afruk, zodat zij bij voorbaat winnen. Maar zo makkelijk krijgen ze me niet klein.

Ik heb handen te kort om te weten waar alle bomen staan en de grond is oneffen, zodat ik voortdurend struikel. De gespierde voorkomt telkens dat ik val.

'Kijk toch waar je loopt!' snauwt hij na de derde keer.

De anderen grinniken om zijn dwaze grap. De lelijkerd het luidst van al.

We verlaten het bos. De gespierde leidt me met het gepor van zijn stok de straat op. Op het asfalt lukt het stappen beter. Er rijdt een wagen toeterend voorbij. Loop ik misschien midden op straat?

'Wacht, hier liggen er', zegt het meisje.

Ze houden halt.

'Zoek een goede.'

'Deze?' vraagt de kleine.

'Hier.' Het meisje duwt een steen in mijn handen. Wat moet ik daarmee?

We lopen verder. Geen van hen maakt nog domme grapjes. Het stappen duurt een hele poos.

'Doe je blinddoek af', beveelt het meisje plots.

Ik knipper met mijn ogen tot de zwarte vlekken verdwijnen. Ze hebben me naar een straat met maar een paar huizen gebracht. Het huis vlak voor me is in slechte staat.

'Gooi het beeld boven de deur stuk.'

Ik kijk naar het beeld in de nis. Een heilige man die een kind op zijn arm heeft.

'Heb je niet verstaan wat je moet doen?!' zegt de gespierde bits. Hij is duidelijk niet op zijn gemak.

'Waarom moet het stuk?'

'Omdat anders jouw stinkbeest haar velletje verliest', snauwt het meisje vijandig.

Rotkind. 'Wat als ik het beeld niet raak?'

'Dan raap je de steen op en gooi je opnieuw, domoor.'

Er is geen ontkomen aan. Ik ga op het wegje voor het huis staan. De rolluiken zijn half opgetrokken, zo te zien is er niemand thuis. Toch blijven ze alle vijf op een veilige afstand staan.

Het begint te regenen.

'Waarop wacht je?' sist het meisje. 'Straks zijn we kletsnat. Schiet nou op!'

Ik wil Filou terug, dus ik heb geen keuze. Ik houd de kei stevig in mijn hand en mik naar het beeld. Net op het moment dat ik de steen loslaat, gaat de deur open.

'Beth de bitch!' schreeuwt de kleinste.

De steen ketst tegen de gevel vlak naast het beeld en valt recht voor de voeten van een oude vrouw. Ze kijkt van de steen naar mij en schudt met haar hoofd. 'Kom binnen, kind, het regent stenen.'

Ik aarzel, draai me om. De vijf zijn weg.

'Ik lust kinderen rauw, maar ik kom net van tafel', stelt ze me gerust.

Wat ze zegt, bevalt me. Liever haar dan een afrekening van de lafaards. Ze schuifelt de smalle gang door en gaat rechts een kamer binnen. Het is er halfdonker. Ik heb het gevoel dat ik een stap achterwaarts in de tijd zet, waardoor ik in de tijd van opa en oma uitkom. Alles in de kamer is me vertrouwd: het bloemetjesbehang, de eiken meubels, het kruis met het palmtakje tegen de muur, het ruikt er zelfs zoals bij opa en oma.

'Neem een stoel en kom er even bij zitten. Zoveel bezoek krijgen we niet. Beth is mijn naam, van Elisabeth. En jij heet?'

'Lana. Gewoon Lana.'

In de zetel bij het raam heft een streepjeskat haar kop op. 'En dat is Minet. Eruit jij, nu is het mijn beurt.'

De poes gehoorzaamt zonder gegrom. Het is duidelijk wie hier de baas is.

Het is gek, maar Beths krasse woorden lijken niet bij haar te horen. Ze is klein, mager en rimpelig. Een appeltje dat te lang in de mand is blijven liggen, zou opa zeggen.

Ik zet mijn stoel vlak voor haar zetel. Het is rommelig in de kamer. De vloer is bezaaid met kranten en papieren en op tafel, te midden van een massa boeken, staan borden met enkele broodkorsten en een pot jam.

Beth knipt achter haar zetel een schemerlamp aan.

'Zo zie je de rommel beter. Rolluiken optrekken is zo'n lastig werk met twee stijve armen. Halverwege geef ik het op.'

'Zal ik het doen?'

'Liever niet. Ik ben gewend aan het donker. Scherp daglicht doet pijn aan mijn ogen.'

Ze kijkt me met half dichtgeknepen ogen aan. 'Jij bent niet van het dorp...'

'Ik kom uit de stad. We zijn pas verhuisd.'

'En bevalt het je?'

'Nee.'

Ze knikt. 'Maar je hebt al vrienden gemaakt?'

'Het zijn geen vrienden.'

'Geen vrienden?'

'Ik moest van hen het beeldje boven je deur stukgooien.'

'Vincentius', zegt Beth met een glimlach.

Ik kijk haar vragend aan.

'Hij is de beschermheilige voor verwaarloosde kinderen.'

'Vind je het niet erg dan?'

'Ach kindje, ik heb met dat meisje en haar broer te doen: hun pa is een bullebak van het soort waar zelfs zo'n sint niet tegen opgewassen is. Hij heeft een kwade dronk en is vaak agressief.'

'Ze hebben mijn poes...'

'En om jouw poes terug te krijgen,' onderbreekt ze me, 'moest jij Vincentius stenigen.'

Ik knik zonder haar aan te kijken. Ze denkt wel snel, oma moest ik vaak de dingen nog eens uitleggen, niet één, maar twee of drie keer.

'Vroeger gaf ik in de dorpsschool les. Hun vader heeft bij mij in de klas gezeten. Ik heb geprobeerd om die bullebak wat menselijkheid bij te brengen. Toen had ik nog de kracht om hem van tijd tot tijd eens goed door elkaar te schudden. Hij is het die de kinderen opjut tegen mij. Het is jammer voor hen, ik wou dat ik kon helpen, maar zie mij: ik raak amper uit mijn zetel.'

Ik knik, maar denk aan Filou. Wij hebben die bullebak niets verkeerds gedaan. En daarbij, zo'n pa geeft je nog niet het recht om te doen wat je wilt.

Het is even stil in de kamer. Buiten is de zon weer doorgebroken. Minet draait rond een tafelpoot en vlijt zich neer op een gehaakte sjaal die op de kranten ligt. Ze haakt spinnend haar klauwen in de wol, maar Beth laat haar begaan.

'Ik ben blij dat het beeld nog heel is. Ik ben gehecht aan Vincentius. De weinige keren dat ik buitenkom, sla ik een praatje met hem. De dag dat hij antwoordt, weet ik het wel.'

Een beetje gek doen om niet gek te worden, dat zei opa ook vaak.

'Het beeldje komt uit de oude pastorij. Bij de verbouwing wist men met al die heiligen geen blijf. Gelukkig had ik een plekje voor Vincentius, anders was hij vast op het stort beland. Heiligen recycleren ze niet.'

Het is gek, maar het lijkt alsof ik Beth al langer ken. Ze doet me aan Jorien denken. Minstens zestig jaar verschil en toch... Misschien is het haar manier van vertellen, ik weet het niet.

'Woon je hier alleen?'

'Samen met Minet. Ik heb nog andere poezen, maar zij is de enige die in huis mag. De laatste tijd begin ik meer en meer een poezenleven te leiden. Op ieder knus plekje dommel ik in slaap. Het verschil tussen mij en mijn poezen is dat ik tussendoor boeken lees. Lezen is het enige waar ik nog energie voor heb', zegt ze met een knikje naar de tafel. 'Oud worden is niet alles, kindje.'

Met een schuin hoofd probeer ik de rugtitels van de hoogste stapel boeken te lezen.

'Er zit een beetje van alles tussen: over het leven van sinten tot en met de werking van computervirussen.'

Ik kijk haar verbaasd aan. Opa wist niet eens wat een computer was. Voor hem was een computer iets wat bij 'de dingen' hoorde. En over 'de dingen' maakte hij zich geen zorgen.

'Ga je al die boeken nog lezen?' vraag ik ongelovig.

'Als de tijd me gegund is.'

'Wat als je midden in een spannend boek...'

'Sterft?' maakt ze mijn domme vraag af. 'Ben jij een leuk meisje, zeg.'

'Het spijt me', mompel ik.

'Niks van. Ik hou van mensen die zeggen wat ze denken. Zelf doe ik dat ook, ze noemen me niet voor niets: Beth de bitch.'

Dat was wat de kleinste riep voordat ze met z'n vijven om ter hardst wegliepen.

'Mensen die niets anders doen dan huichelen, daar word ik ziek van.'

46

Ze haalt een zakdoek uit haar mouw en wrijft ermee over haar mond.

Ik zwijg, ze moest eens weten hoe vaak ik tegen mama lieg. En liegen is nog erger dan huichelen.

Minet springt bruusk op tafel en klauwt naar een bromvlieg die boven de pot jam hangt.

'Ksst, pas op voor die plakpot', jaagt Beth de poes van de tafel. 'Wil jij niet liever wat melk?'

Minet lijkt Beth te verstaan, want ze haast zich naar de deur. Met haar poot probeert ze de deur die op een kier staat te openen, maar het lukt haar niet. Ze jankt om hulp.

'We komen, een beetje geduld', zegt Beth rustig. Ze heeft moeite om uit de zetel op te staan. Ik bied haar mijn arm aan. Ik vraag me af hoe ze het doet als ze alleen is.

'Oud, oud, oud', gromt ze. 'Maar zolang er hier geen krimp op zit,' ze wijst naar haar hoofd, 'geven we niet op. Ken je Dionysius van Parijs?'

Ik schud van nee.

'Natuurlijk niet. Waar zit ik met mijn gedachten? Heiligen zijn uit de mode. Dionysius was er eentje die met zijn hoofd in zijn handen rondliep. Dat gevoel heb ik de laatste jaren ook. Mijn hoofd past niet meer op mijn lijf.'

Ik glimlach. Wat ze zegt klopt precies met mijn gevoel over haar.

'Waarom liep hij zo rond?'

'Hij wou graag op een andere plek begraven worden dan waar ze hem hadden onthoofd en dus raapte hij zijn hoofd van de grond en ging op stap.'

'En waarom hakten ze zijn hoofd af?'

'Ach, daarvoor hadden ze niet echt een reden nodig. Hij was een martelaar.'

Op wandel met je eigen hoofd. Goed voor een ruilbeurt van het tijgeroog.

In de keuken schrik ik van de berg afwas die er staat.

'Ik krijg de kraan niet meer open. Verkalkt, net als mijn botten.'

Ze laat me de melk uit de koelkast nemen. Op het achterkoertje tel ik niet één, maar zeven schoteltjes. 'Poesie, poesie!' Uit de verwilderde tuin komen nog meer tijgerkatten te voorschijn.

'Zeg niet dat ik een andere tuinman moet nemen.'

'Ik denk dat wij dezelfde hebben', lach ik. 'Maar als je wilt, doe ik de afwas.'

'Dat zou vriendelijk van je zijn. Dan rust ik ondertussen hier wat in de zon.' Ze schuifelt naar de schommelstoel die vlak voor het raam staat.

Ik wring de kraan open, er komt een dun straaltje water uit.

'De laatste hulp heb ik vorige week aan de deur gezet. Ze begon over Huisje Weltevree, net zoals alle anderen.'

Ik kijk haar vragend aan.

'Een rustoord hier vlakbij, een depot voor oudjes. Raap die folder eens op. Iemand stopte hem in mijn bus. Een schurkenstreek.'

Ik vouw het reclameblaadje open en zie een foto van een kraaknette kamer met een lijstje van alle diensten. Op de achterzijde staat een groepsfoto van de oudjes. *Net één grote familie.*

'Het is een list om hun huisje vol te krijgen. Alles doen ze er voor je, ze roeren zelfs in je koffie. Maar ik heb geen zin om in een bed gestopt te worden dat nog koud aanvoelt van de vorige dode.'

Precies wat ik dacht toen mama een plaats voor opa zocht.

'Mijn opa ging naar een tehuis toen oma stierf. Soms leek hij het er wel naar zijn zin te hebben. Er was een grote tuin.' Gek om mezelf zo te horen praten. Alsof ik Beth ervan wil overtuigen dat het niet alleen maar kommer en kwel is, want zij heeft duidelijk hulp nodig. Opa kon zelf nog de rolluiken optrekken en afwassen lukte hem ook. Hij vergat het alleen zo nu en dan.

'Op een keer trof ik hem op zijn kamer terwijl hij met Francesca, de Poolse werkster, een polka danste op een Frans liedje.' En opa maar zingen, terwijl Francesca met haar plumeau vrolijk over mijn gezicht waaierde en lachend verder danste.

'Zie je mij al een polka dansen? Ik wacht liever hier mijn beurt af. Al dat gemoei van anderen hoef ik niet. En daarbij, er zit iemand in dat tehuis die ik bij leven niet meer wil zien.'

'Wie?' vraag ik nieuwsgierig.

'Ach, een dokter.'

'Dokter Laurens?'

'Ja.' Ze kijkt me verbaasd aan. 'Hoorde je al van hem?'

'Wij wonen in zijn huis.'

'In *L'escargot*?' vraagt ze met zichtbare afkeer.

Ik knik. 'De bende van het meisje vertelde...'

'Kletspraatjes, geloof maar niets van wat ze zeggen. Ik gaf de zoon van dokter Laurens destijds privéles...' Maar dan zwijgt Beth abrupt, alsof ze al te veel heeft gezegd. Ze vouwt haar handen in elkaar en sluit haar ogen.

Denkt ze aan vroeger, aan het huis, aan de dokter, aan zijn zoon? Beth antwoordt met een kort snurkje. Zonder veel plonzen dompel ik de vuile kopjes in het water. Dat ze niet over de dokter wil praten, betekent niet veel goeds. De kletspraatjes moeten dan toch voor een stukje waar zijn.

Het is stil in de keuken. Nu pas merk ik de slingerklok boven het aanrecht op. Bij opa en oma had ik vaak het gevoel dat die slingerbeweging de tijd uitrekte. Alles verliep er trager. Vooral opa kende geen haast. Het maken van een kop koffie kon een halfuur duren. Hij maalde zelf de koffiebonen met een oude molen. 'Ook voor kleine dingen moet je je tijd nemen', zei hij dan. 'Dat maakt kleine dingen groot.'

Ik vraag me af waar de klok gebleven is. Opa nam ze mee naar het tehuis. Enkele dagen voor zijn dood stopte ze met tikken. Opa wist niet waar hij het opwindsleuteltje had gelegd. Hij was kwaad dat hij het kwijt was. Hij zat moedeloos op bed, met rondom hem een heleboel rommel. Zo kende ik hem niet. Bij het opruimen vond ik gelukkig het sleuteltje. Het zat zoals altijd in oma's portemonnee. 'Muisje, je bent een engeltje', zei hij blij. Maar toen ik de klok wou opwinden, hield hij me tegen. 'Ik doe het straks zelf wel.' Een beetje vreemd, want meestal liet hij dat werkje aan mij over.

'Zul je het niet vergeten?'

'Begin jij ook al?' grommelde hij. 'Weet je nog wat oma zei over de sleutel?'

'Ja,' lachte ik, 'een gouden sleutel die vast ook op de hemelpoort past.'

Bij zijn dood stond de klok nog altijd stil. Hij is het toch vergeten, dacht ik. Pas toen een verpleegster me zei: 'Zijn tijd was op, hij zit vast naast je oma op een bankje in de hemel', begreep ik waarom hij de sleutel absoluut nodig had.

Als de afwas bijna gedaan is, sluipt Minet weer naar binnen. Met haar rechterpoot wrijft ze de melk van haar snoet en springt op Beths schoot.

Beth schrikt op. 'Buikje vol?'

Minet geeuwt met wijd open bek en vlijt haar kop op Beths hand.

'Zullen we theedrinken als je klaar bent? Er staat een doos lekkere koekjes in de kast.'

7

Als ik thuiskom, zit mama achter de computer.

'Lana, dit moet je zien!'

Aan haar stem te horen, is ze onze ruzie van vanochtend vergeten.

Op het scherm staat een virtueel huis, het lijkt wel een sprookjeshuis. Met een klik laat ze het om zijn as draaien. 'Het is nog beter dan wat ik in gedachten had.'

Ik kijk haar vragend aan.

'Dit is ons huis.'

'Ons huis?!'

'Ja, het oorspronkelijke huis op basis van de oude plannen. Het ontwerpbureau bouwde het precies na. Haast niet te geloven, hè?'

'Nee.'

'Ik moest ook twee keer kijken. De dokter heeft het huis volledig verprutst.' Met een dubbele klik opent ze de deur en wandelt naar binnen. 'Overal liet hij ramen dichtmetselen en trok hij muren op. Je zou haast geloven dat hij geen buitenlicht verdroeg.'

Of geen pottenkijkers, denk ik bij mezelf.

'Het ontwerpbureau snapt er ook niets van. "Het is een versterkte burcht geworden", zeiden ze. Een van de volgende dagen komen ze langs om alles op te meten.'

Ze geeft me de muis. Ik klik verder. Het was inderdaad een sprookjeshuis.

'Kijk,' zegt mama 'het salon gaf uit op een wintertuin met een koepel van glas. En er was ook een haard.'

'Oh, een poes!' wijs ik naar de poes die het salon binnenloopt en zich behaaglijk bij de haard nestelt.

'Een grapje van het bureau', lacht mama. 'Ze zijn knap in die dingen.'

'Filou is nog niet terug.'

'Ze daagt wel op, wees gerust.'

Ik knik, misschien is het beter dat ik toch alles vertel. Mijn kans bij de kinderen is nu wel verkeken. Ik aarzel, het gaat nu juist zo goed. Het zou stom zijn om het weer eens te verknoeien.

'Prachtig, niet?' zucht ze. 'Alleen jammer van een klein detail.'

'Welk?'

'Het prijskaartje. Het huis terug in zijn oorspronkelijke staat herstellen kost een bom geld. We kunnen onmogelijk alles in één keer doen. Het zal tijd vragen.'

'Jaren?'

Ze knikt. 'Ik zal vanavond met papa overleggen. Kleine klusjes kunnen we natuurlijk zelf doen.' Ze pakt er haar inventaris bij.

'Wat denk je, iedere dag één klus? Als je me helpt, moet het lukken.' Ze gaat de lijst af. 'We kunnen beginnen met boven het papier van de muren te halen. Vandaag kunnen we de donkere kamer doen, morgen de gang en overmorgen...'

Ik heb weinig zin om met de donkere kamer te beginnen, maar misschien is het beter om het kwaadste spook eerst het huis uit te jagen.

Op mijn kamer bevrijd ik me van de extra onderbroekjes. Een geluk dat die lelijkerd niet de bende leidt, anders had de proef er vast anders uitgezien. Ik inspecteer de rode striemen op mijn billen. Mama komt mijn kamer binnen als ik het tweede broekje uittrek. Ze kijkt verbaasd, maar zegt niets.

'Weet je waar die groene emmer is gebleven?'

'Ik zette hem op de gang, misschien nam papa hem mee naar beneden?'

Ze gaat mijn kamer uit. Wat moet ze nu weer van me denken? Ik blijf op mijn bed zitten tot ze me roept.

In de donkere kamer geeft ze me een plat steekmes en doet voor hoe ik aan de slag moet. 'Als het behang niet vanzelf loskomt, spons je de muur eerst met zeepsop in.'

Het behang lost makkelijk. Met één steek haal ik een hele reep papier naar beneden. We doen ieder een muur. Ik ben blij dat ik de kamer niet alleen hoef te doen. Het kleine peertje aan het plafond geeft weinig licht, zelfs met de deur open blijft het eng. Het is alsof ik de benauwdheid inadem. Als die verbouwingen nog jaren aanslepen, houd ik het hier nooit vol.

'Kijk,' zegt mama na een tijdje, 'hier was vroeger ook een raam.'

Op het pleisterwerk van de muur is de omtrek van een grote rechthoek zichtbaar.

'Onbegrijpelijk waarom de dokter het dichtmetselde, hier heb je een prachtig zicht op de tuin.'

Ik zeg niets. De kinderen hebben gelijk: de dokter sloot zijn vrouw op, dit was haar kamer. Jammer dat Beth er niet over wou praten. Als zij de dokterszoon lesgaf, weet zij vast wat er zich hier heeft afgespeeld.

'Jakkes, wat zit hier onder?!' roept mama. Op de muur onder het behang komen donkerbruine vegen tevoorschijn. 'Het lijken wel...'

Ik kom overeind en trek de loshangende strook behang naar beneden. Er staat iets op de muur geschreven.

Mama leest letter per letter. 'H E L P O N S.' Ze kijkt naar mij, maar op dat moment knalt de lamp stuk en waait de deur met een klap dicht. Er klinkt een ijselijke gil. Mama stommelt in het donker naar de deur en doet ze weer open.

Ik kijk versteend naar de schreeuw op de muur.

'Lana... Lana? Het is niets, het was de wind, de tocht... '

'Het was niet de wind. Het was de gekkin', zeg ik met overslaande stem. Ik beef er helemaal van.

'Lana, waar heb je het over?' vraagt mama bezorgd. 'Kom, we stoppen. Ik zal theezetten.'

Ze legt haar arm om mijn schouder en neemt me mee naar beneden.

Aan tafel kom ik tot rust. 'De vrouw van de dokter was gek. Eerst sloot de dokter haar in die kamer op en toen hij het niet meer uithield, vermoordde hij haar. Hij hakte haar in stukken met een bijl.'

'Lana toe, zeg toch niet zulke dingen. Van wie heb je die onzin?'

'Van kinderen uit het dorp, maar het is geen onzin.'

'Die kinderen vertellen maar wat om je bang te maken.'

'En die kreet op de muur? Daar kunnen zij toch niet achter zitten, die stond er al voor het behang er hing.'

Mama zwijgt en denkt na. 'Je zult zien, als we dat raam openbreken, wordt het een heel andere kamer.'

'Nee, we kunnen beter de deur van die kamer ook dicht metselen. Ik hoorde de gekkin schreeuwen.'

'Dat was ik.' Ze wrijft met haar duim achter haar oor. 'Ik schrok, omdat de lamp stuksprong en tegelijk de deur dicht waaide.'

Ik neem een slok thee en schud mijn hoofd.

'De lamp sprong stuk door een kortsluiting, we moeten dringend alle leidingen vervangen. De deur vloog dicht door de tocht. En heus, ik was het die gilde.'

Die gil klonk krankzinnig. En als het toch mama was die gilde, dan betekent het dat de geest van die gekke vrouw in haar hoofd zit. Daarvoor waarschuwde de kraakstem aan de telefoon: 'Ga weg voordat het te laat is.' Het is misschien al zover.

Ik neem nog een slok thee. Er zit maar één ding op: zorgen dat we hier zo vlug mogelijk weg zijn. Ik moet mama overtuigen.

'Ken je het verhaal van Blauwbaard?' vraag ik.

Ze knikt en fronst tegelijk haar wenkbrauwen.

'Weet jij wat zijn eerste vrouw verkeerd deed?'

'Zijn eerste vrouw', zegt ze glimlachend. 'Ik heb me die vraag nooit gesteld.'

'Wat denk je?' dring ik aan.

'Misschien deed zij ook een verkeerde deur open...'

'Hoe bedoel je?'

'Sommige mensen hebben lugubere fantasieën die ze het liefst in een donkere kamer ergens in hun achterhoofd verborgen houden. Misschien betrapte die eerste vrouw Blauwbaard op zo'n fantasie en dat vond hij vast niet leuk.'

'Wat was hij dan aan het fantaseren?'

'Ben jij even nieuwsgierig zeg! De moraal van het sprookje is net dat je niet te nieuwsgierig mag zijn. Sommige deuren laat je beter dicht, je weet nooit welk monster erachter zit.'

'Volgens mij kickte hij op het idee om iemand met een bijl te bewerken, zoals hij zijn vrouwen achteraf vermoordde.'

'Ja', knikt mama. 'En dan is de tweede moraal van het sprookje dat er tussen fantasie en werkelijkheid niet veel marge zit. Daarom moeten we oppassen wat we in ons hoofd stoppen.' Ze kijkt me strak aan.

Het is de eerste keer dat ze zo met mij praat. Nog niet helemaal als gelijken, ze blijft enkele trapjes hoger staan, maar haar boodschap is aangekomen. Bizar hoe ze mijn Blauwbaard daarvoor wist te gebruiken, terwijl ik haar eigenlijk duidelijk wou maken dat je beter onmiddellijk opstapt als je voelt dat er iets niet pluis is omdat het anders te laat kan zijn.

Plots schrik ik. 'Je bloedt uit je neus!'

'Opnieuw', snuft mama. 'Er hangt hier iets in de lucht waar ik allergisch voor ben.'

'Voor het stuifsel van die schimmel? Je moet dringend naar de dokter.'

Ze snuit haar neus.

'Het is gewoon een bloedneus, niets ernstigs. Luister, we zullen de kamer voor morgen laten. Vandaag hebben we allebei ons dagje niet.' Ze staat op. 'Kom, we gaan naar buiten, wat frisse lucht zal ons goeddoen. Ik heb plantjes gekocht in het tuincentrum.'

'Plantjes, voor tussen de netels?'

'We maken een hoekje vrij. Moet je zien: wilde bijenorchis.' Ze geeft me een potje.

'De bloem heeft precies de vorm van het achterlijf van een bij. Biologen beweren dat bijen de bloem verkiezen boven een echt bijenachterlijf.'

'Hoe kunnen ze zoiets nu weten?'

'Dat vraag ik mij ook af', lacht ze.

Ik lig in bed met mijn handen op mijn buik. Slapen lukt niet. Te veel gepieker in mijn hoofd. Misschien helpt het als ik mijn gedachten orden, net zoals mama altijd doet. Het huis, de gekkin, dokter Laurens, de telefoons, mama's bloedneus, de rotkinderen en Beth. Een hoop narigheid, alleen Beth past niet in de rij. Bij haar was het leuk.

We dronken samen thee met koekjes. Beth at zonder schuldgevoel de doos halfleeg. Bij het afscheid gaf ze me een bidprentje met een afbeelding van een heilige. Ik knip mijn nachtlamp aan en haal het kaartje uit mijn broekzak. *Ferreolus* staat er in gouden letters op de achterzijde. 'Vroeger zaten die prentjes bij de chocola', vertelde Beth. Het is een luguber prentje waarop een geketende man staat die gegeseld wordt omdat hij geen verraad wou plegen. 'In zijn tijd werden de christenen vervolgd, Ferreolus was christen en weigerde de namen van andere christenen bekend te maken. Na zijn dood werd hij de beschermheilige van de gevangenen', zei Beth. 'Vroeger, toen ik zo oud was als jij, waren beschermheiligen belangrijk. Tegen ieder kwaad kon je een kaarsje branden.'

'Deed jij dat ook?' vroeg ik haar.

Beth glimlachte. 'Mijn moeder deed het voor mij. De kaarsjes hielpen haar om minder bang te zijn. Ze schonk me bij mijn communie een zilveren broche van Vincentius, de kinderheilige, terwijl ik veel liever net als alle andere meisjes van mijn klas gouden oorbelletjes had gekregen.'

Jammer dat die heiligen uit de mode zijn. Ik zou een rij kaarsjes kunnen branden. Voor Filou: dat ze niet bang hoeft te zijn en geen honger hoeft te lijden. Voor mama: eentje tegen hoofdpijn, eentje tegen moe zijn en eentje tegen bloedneuzen. Er bestaat vast wel een speciale heilige voor bloedneuzen. Beth zei dat er meer dan duizend bestonden. 'Zoals mensen vandaag hun pilletjes hebben, zo hadden ze vroeger hun heiligen.'

Morgen ga ik opnieuw bij haar langs. Als mama me iets vraagt, zeg ik dat ik een nieuw vriendinnetje gevonden heb.

Het is vreemd. Beth zou ik wel naar een tehuis sturen, terwijl ze me duidelijk maakte dat zoiets helemaal niets voor haar is.

'Ik heb er zelf al flink over nagedacht, het huis en de tuin worden te veel voor me; maar zo'n tehuis is het echt niet. Er is daar geen plaats voor mijn poezen, noch voor mijn boeken. En zonder hen lukt het me niet. Oud worden mag dan wel vanzelf gaan, maar eenvoudig is het niet.'

Ik steek het bidprentje in het griezelboek van Jorien en knip mijn nachtlamp uit.

Beneden hoor ik papa thuiskomen. Hij bromt iets tegen mama over problemen op het werk.

Een tijd later gaat het licht op de gang aan, ze komen samen de trap op.

'Geef me de zaklamp', zegt mama.

Ze gaan vast de donkere kamer binnen.

'Kijk, hier staat het. Wat denk je? Een flauwe grap van die vandalen die het huis vol graffiti spoten?'

Papa antwoordt niet.

Ik hoor mijn naam vallen. 'Ik ben er niet helemaal gerust op. Ze doet zo vreemd', zegt mama.

Ik voel mijn buik verkrampen. Denkt ze dat ik gek aan het worden ben?

'Ze heeft veel fantasie, meer moet je er niet achter zoeken. Fantasie is goed voor een kind.'

'Ook als die fantasie haar bang maakt?'

Mama begint te huilen. 'Ik doe zo mijn best, terwijl zij recht in mijn gezicht liegt. Ik kan er niet meer tegen!'

'Probeer haar wat minder te controleren. Lana is geen klein kind meer!'

'Ze heeft geen reden om tegen me te liegen! Ik word daar ziek van, begrijp je dat dan niet!'

Ik moet mijn bed uit om de dingen recht te zetten. Maar net als ik de deken van me afsla, breekt op de gang de hel los. Mama slingert papa lelijke dingen naar het hoofd. En papa roept terug, wat hij anders nooit doet. Ik kruip onder de deken en stop mijn oren dicht. 'Opa, stop hen alsjeblieft. Het komt door het huis dat ze zo tekeergaan. We moeten hier weg. Het kwaad in het huis is sterker dan wij, nog even en we krassen alle drie hulpkreten op de muren. Toe opa, mama is al ziek. Laat haar weten dat ik wil praten. En zeg papa dat hij minder hard werkt zodat hij ziet wat er aan de hand is. Mama's bloedneus was geen fantasie. Toe, opa, doe iets.' Ik neem oma's hangertje dat rond de beer zijn buik is geknoopt en klem het tegen me aan.

9

'Grijp haar!'

Als een meute wilde honden vliegen de jongens vanuit het niets op me af. Tegelijkertijd grijpen ze mijn benen en mijn armen. Ik word in de lucht getild, en met een harde smak op een plank met ijzeren hengsels gegooid.

'Bind haar vast!'

De jongens binden touwen om mijn enkels en polsen en knopen de uiteinden vast aan de hengsels. Daarna heffen ze de plank schuin omhoog, zodat ik half rechtop hang. Het meisje staat voor me. Ze draagt een lang, wit gewaad waarop een paars slakkenteken is geborduurd. Ze kijkt me met ijsogen aan.

'Nu ga je praten! En niets dan de waarheid!'

Ik wil gillen, maar als ik mijn mond opensper, komt er geen geluid uit.

'Wel?! Ik hoor niets', zegt het meisje met een rauwe stem. 'Moeten we hardere middelen gebruiken?'

De gespierde jongen geeft haar een juten zak. Filou, flitst het door mijn hoofd.

'Jouw stinkdier', bevestigt het meisje. Ze doet de zak onder mijn neus open. Mijn maag verschrompelt. Ze hebben Filou op een plank vastgespijkerd en in haar bekje een reuzenslakkenhuis gestoken. Ze leeft nog, maar haar hartje klopt gejaagd. Ik draai mijn hoofd weg.

'Nu ga je praten. Of er gebeuren nare dingen met dit beestje.'

Ik probeer opnieuw te gillen, maar ik ben misselijk van angst.

Het meisje wordt ongeduldig. De gespierde jongen haalt een hakbijl tevoorschijn. Hij geeft hem aan de achterlijke jongen, die boosaardig lacht.

'Kijken!' beveelt het meisje me.

De lelijkerd draait mijn hoofd ruw in de richting van Filou. Het meisje knikt naar de achterlijke jongen. Met één zwaai hakt hij een poot van Filou af. Het arme dier stuiptrekt van de pijn. Maar het is nog niet genoeg. Met de bijl kerft hij Filous hart open en dompelt de afgehakte poot in het bloed. Dan geeft hij de rode klauw aan het meisje. Zij stapt naar me toe en drukt de klauw in mijn hart. Het slakkenteken. Met een pijnscheut schrik ik wakker. Ik grijp naar mijn hart en hap naar adem...

Een droom, niet meer dan een droom. Het duurt een poos eer ik mijn ademhaling onder controle heb. 'Een droom, niet meer dan een stomme droom', herhaal ik hardop. Het lijkt wel of mijn keel in brand staat. Ik moet iets drinken.

Buiten onweert het. In de kelder zal het water hoog staan en morgen stinkt het hele huis. Huiverend sta ik op. Op de tast zoek ik mijn weg naar de deur. Vlak bij het lichtknopje verstijf ik van angst. Er klinkt gehuil, babygehuil. Het komt van beneden. Is de nachtmerrie nog niet afgelopen? Of heeft mama gelijk en spookt het in mijn hoofd? Het gehuil gaat over in telefoongerinkel. Eén keer, twee keer, drie keer... Wie belt er nu midden in de nacht? Toch niet weer zo'n rottelefoon... Ik knip het licht aan. Het zal papa's werk zijn, het kan niet anders. Ik moet naar beneden, de telefoon opnemen en de code noteren. Maar vlak voor de donkere kamer blijf ik wachten. De deur staat open, ik vertrouw het niet. De telefoon blijft rinkelen. Steeds luider en dringender. Ik keer op mijn stappen terug en wek papa.

Slaapdronken zwalpt hij de trap af.

Ik blijf op de bovenste tree wachten.

'Hallo? Hallo?'

Hij komt terug naar boven en struikelt haast over me.

'Wie was het?'

'Niet het werk, want er werd ingehaakt. Waarom nam je niet op?'

'Ik durfde niet naar beneden. Ik wou iets te drinken halen en toen...'

Papa kijkt me bezorgd aan.

'Toen hoorde ik een baby huilen.'

'Muisje toch... Kom, kruip in bed. Ik haal warme melk.'

60

Even later zit hij bij mij op bed. Met kleine slokjes drink ik van de melk.

Papa wrijft de slaap uit zijn gezicht. Hij geeuwt met wijd open mond. 'Mama vertelde me jouw verhaal over die gekkin...'

Ik kijk papa aan. 'Geloof je het niet?'

Hij kijkt sceptisch.

'Je hebt de kreet op de muur toch gezien?'

'Ja, die heb ik gezien.'

Papa neemt mijn hoofd in zijn beide handen. 'Luister goed, ik wil best geloven dat hier vroeger akelige dingen gebeurden. Maar in geesten geloof ik niet. Zet die dus maar uit je hoofd.'

Ik knik, maar niet overtuigd.

Papa merkt het. 'Muisje, als je zulke verzinsels gelooft, dan ben je straks bang om alleen thuis te blijven.'

'Dat ben ik nu al', zeg ik stil.

'Dat van die gekkin is een monsterverhaal. Tegen monsters kun je niet op: hak je er één kop af, dan groeien er zeven andere in de plaats.' Hij laat mijn hoofd los. 'Je kunt ze alleen overwinnen door niet in hen te geloven.'

Ik drink het laatste restje melk op. Niet in monsters geloven is makkelijk gezegd.

Papa zet het lege glas op mijn nachtkastje en pakt het boek van Jorien. 'Komen de monsters hier uit?' vraagt hij terwijl hij bladert.

Ik schud met mijn hoofd.

Hij haalt het bidprentje eruit.

'Dat is niet van Jorien', zeg ik vlug voordat hij haar ten onrechte beschuldigt.

Papa kijkt me onderzoekend aan.

'Het is van Beth.'

'Wie is Beth?'

'Een oude vrouw die hier in de buurt woont', antwoord ik, maar ik heb nu geen zin om het hele verhaal te vertellen. 'Ze heeft een heleboel poesjes.'

'Zat Filou er?'

'Nee.'

Papa steekt het kaartje weer in het boek. 'Je mist opa en oma nog fel.'

Ik knik.

'Ik ook.' Hij zucht diep en legt het boek terug.

'Morgen moet ik voor het werk naar Hamburg. Je zult twee dagen alleen zijn met mama.'

'Ze is ziek.'

'Ze is zichzelf niet. Met al dat werk hier in huis is ze wat over haar toeren.'

'Ze is ziek. Niet door het werk, maar door het huis zelf. Opa's vis is ook ziek.'

'Hij heeft een dieper aquarium nodig. In zo'n kom voelt hij zich niet gelukkig.'

Ik kijk hem vragend aan.

'Weet je, het is opa's vis niet. Toen opa stierf, stierf ook zijn vis. We hadden hem in het berghok gezet bij de rest van opa's spullen. We waren hem compleet vergeten. Drie dagen zonder eten of licht...'

'Maar?'

'Mama wou niet dat je het wist. Je had al genoeg dood te verwerken. Ze stuurde me naar de winkel voor een nieuwe vis.'

'Waarom vertel je het me nu dan wel?'

'Omdat het zou kunnen dat de vis weer sterft. En dan geloof jij dat het komt door de slechte lucht in dit huis. Terwijl ze me in de winkel zeiden dat zo'n vis in een gewone kom niet gelukkig is.'

'En als je niet gelukkig bent, sterf je?'

'Een beetje. Voor zo'n visje is een beetje soms al te veel.'

'Ik sterf hier elke dag een beetje.'

'Muisje, zeg zoiets toch niet.'

'Het is zo, ik ben hier niet gelukkig, ik wil terug naar de stad.' Ik begin te huilen.

'Kun je het huis geen kans geven? Je hebt gezien wat het kan worden.'

'Het zal jaren duren. Zo lang houden we het niet vol.'

Hij neemt mijn handen in de zijne. 'Luister, als ik terug ben van Hamburg gaan we met zijn drieën rond de tafel zitten en bespreken we de zaak. Maar in tussentijd moet je me beloven om mama te sparen. Mama klaagt dat je zoveel liegt tegen haar.'

Ik haal mijn schouders op.

'Niet meer doen, muisje, het is niet leuk voor haar. We moeten het met z'n drietjes doen. Als we elkaar niet kunnen vertrouwen, dan rest ons niet veel meer.'

10

'Wil jij de pomp in de kelder aanzetten?' roept mama vanuit haar kamer, als ze me hoort opstaan.

Ze ligt nog in bed. Ze ziet er niet uit: haar ogen zijn rood en gezwollen. Heeft ze de hele nacht liggen huilen?

'Ik denk dat ik koorts heb', mompelt ze.

'Zal ik je een pilletje brengen?'

'Ik nam zonet een paardenmiddel, over een kwartiertje lukt het me wel om op te staan.'

'Is papa al naar Hamburg vertrokken?'

'Ja, als hij terug is, neemt hij enkele dagen vrij. Althans, dat beloofde hij.'

Ze zakt weg in de kussens.

Beneden in de gang trek ik mijn laarzen aan. Het zal een blubberige toestand zijn in de kelder. De vloer van de kelder bestaat uit aangestampte aarde, die in een modderige brij verandert door de regen. De hinderlijke geur komt me al tegemoet. Op de keldertrap kruipt een sliert dikke slakken naar boven, op de vlucht voor de stank. Ik glibber naar de pomp. Plots hoor ik een grommend geluid achter me. Ik draai me om. Het komt vanuit de bijkelder. Het hangslot ligt op de grond! Opnieuw klinkt er gegrom. Er bestaan geen monsters, zeg ik bij mezelf. Toch durf ik de grendel niet weg te schuiven om te kijken. Ik zet de pomp aan en haast me naar boven. Voor alle zekerheid doe ik de kelderdeur op slot. In de gang schop ik mijn laarzen uit en hol de trap op.

'Mama, ik hoorde iets in de bijkelder!'

Slaperig richt ze zich op. 'Misschien muizen.'

'Het hangslot is van de deur.'

'Papa denkt dat er ergens een afvoer kapot is. Hij is waarschijnlijk in die bijkelder geweest.'

'Wat als het papa niet was?'

'Lana... Toe, geef me wat rust. Ik was het niet, jij was het niet, het kan alleen maar papa zijn geweest.' Ze draait zich om en trekt de dekens over zich heen.

'Wil jij brood gaan halen?'

Het is een eind stappen tot in het dorp, maar de frisse lucht doet me goed. Ik ben blij dat ik het huis uit ben. Onderweg kan ik de brief voor Jorien posten. Misschien kan ik bij de bakker vragen wat die dokter precies heeft gedaan. Volgens papa is een bakkersvrouw altijd van alles op de hoogte. 'Mensen komen er voor gesneden roddels. Dat brood is maar een excuus', zegt hij.

Maar hoe vraag ik ernaar? Moet mijn vraag als een roddel klinken?

'Is het waar dat de dokter zijn vrouw met een bijl in mootjes hakte?'

Nee, dat is te cru.

'Een gesneden brood, en weet u wat er met de gekkin van het huis *l'Escargot* gebeurde?'

Of ik vraag haar waar de naam vandaan komt. Dat weet ze vast niet en dan vertelt ze me spontaan het verhaal van de gekkin. Een trucje dat Jorien me leerde. 'Niemand vindt het leuk om iets niet te weten. Ze geven je liever een antwoord op een totaal andere vraag.'

Als ik de winkeldeur openduw, zoemt er in de achterplaats een bel. Ik concentreer me op mijn vraag, maar de bakkersvrouw is me voor: 'Jij bent zeker één van die nieuwe die het huis van dokter Laurens kochten.'

Ik knik.

'Het werd tijd dat het huis weer bewoond wordt. Een leeg huis trekt zoveel ongedierte aan.' Ze veegt wat broodkruimels van de toonbank. 'Zeg eens: wat zal het zijn?'

'Een bruin brood, gesneden alstublieft, en...'

De bel onderbreekt me. Er stapt nog een vrouw de winkel binnen. Ze draagt een doorschijnend kapje, nochtans regent het niet.

'Dat is een van de nieuwe die het huis van dokter Laurens kochten', richt de bakkersvrouw zich tot de vrouw.

'Ach zo', zegt de vrouw terwijl ze me van top tot teen bekijkt.

Ik hou er niet van om zo aangegaapt te worden.

'Uit de stad?'

Ik knik.

'Herinner jij je de dokter nog?' vraagt de bakkersvrouw haar, terwijl ze me het brood geeft.

'Ik was nog te jong, maar mijn moeder was er vol lof over: de enige dokter die altijd precies wist wat er scheelde.'

'Velen vonden het jammer dat hij zijn praktijk zo plots stopzette.'

'Kwam dat niet door zijn vrouw, was die niet...'

De bakkersvrouw knikt. 'Ongelofelijk hoe hij voor haar zorgde. Terwijl hij zelf ook gebukt ging onder het verlies van hun eerste kind. Zo'n goede man, die heeft wel twee keer zijn hemel verdiend.'

Ik reken af. 'Wat was er...'

'Weet je het al van Diedrickx?' overstemt de vrouw me.

De bakkersvrouw buigt zich over de toonbank naar haar toe.

Ik neem mijn wisselgeld in ontvangst en ga zwijgend naar buiten. Ik hou er niet van als mensen doen alsof je een klein kind bent waar ze overheen kunnen praten.

Op weg naar de postbus denk ik na over wat ik over de dokter hoorde. Het klopt niet met wat de kinderen vertelden. Het klopt niet met het huis. De dokter zorgde voor zijn vrouw. Hun eerste kind stierf. Werd de vrouw misschien gek van verdriet? En ik hoorde een baby huilen... Op het moment dat ik een korst brood in mijn mond wil steken, hoor ik achter me gemiauw. In een reflex draai ik me om. Het zijn de rotkinderen. Ik loop verder alsof ik hen niet heb gezien. Ineens staat de gespierde pal voor me. Ik probeer hem te negeren, maar ik kan moeilijk dwars door hem heen stappen. Hij is minstens een hoofd groter dan ik en zeker twee keer zo breed. Als ik een pas opzij zet, volgt hij. Rechts, links, rechts, het lijkt of we samen een stom dansje uitvoeren. Ik stop ermee en probeer mezelf een nonchalante houding te geven. De anderen komen in een kring om me heen staan. Met geveinsde kalmte neem ik een hap van de korst en kauw. Het meisje fezelt iets in het oor van haar broertje. Hij knikt samenzweerderig en verdwijnt op een holletje.

'Lekker broodje?' vraagt de lelijkerd. 'Mogen we ook een boterham?'

Hij graait naar de zak, maar ik ben hem te snel af en druk het brood tegen me aan. Het meisje kijkt me uitdagend aan terwijl haar hand met het hangertje om haar hals speelt. Filous kokertje!

Plots grist ze de brief voor Jorien uit mijn hand. 'Zullen wij deze even voor je posten?'

'Rotkind!' roep ik woest en ik geef haar een harde mep. Er volgt geklauw en getrek. Het brood valt op de grond. Het meisje trapt erop. De drie jongens kijken geamuseerd toe. Het meisje is sterker, maar ik ben kwader. Ik grijp Filous koker en geef er een fikse ruk aan, waardoor de halsketting breekt.

'Au!' schreeuwt het meisje en ze maakt een wilde beweging. Haar bril vliegt van haar neus en ketst op de grond. Het montuur breekt in twee.

'Mijn pa vermoordt me!' vloekt het meisje. 'Dat zet ik je betaald!'

Ik ren voor mijn leven. Het lijkt wel of mijn benen een heel eind voor me uit lopen. Geen van de jongens haalt me in. Buiten adem en met een stekende pijn in mijn rechterzij bereik ik ons huis. Met veel gehijg hots ik naar binnen.

'Ben je er al?' zegt mama. 'Dat paardenmiddel heeft zijn werk gedaan. Ik voel me helemaal beter.'

Ik probeer op adem te komen.

Mama kijkt me onderzoekend aan. 'Waar is het brood?'

'Er is geen bakker in het dorp', zeg ik overstuur.

'Geen bakker?'

'Gesloten, bedoel ik.'

'Moet je daarvoor zo hollen? Een van je nieuwe vriendjes is hier. Hij wacht op jou in je kamer.'

Ook dat nog. Behoedzaam sluip ik de trap op.

'Zal ik pannenkoeken voor jullie bakken?' roept mama me achterna, waarmee ze mijn verrassingsaanval mooi verknoeit.

In één ruk duw ik mijn kamerdeur open. Het broertje van het meisje ligt op de grond, half onder mijn bed. Hij blijft liggen.

'Probeer je je te verbergen?' vraag ik nijdig.

De jongen schuift onder het bed uit.

'Dit is ons huis', zegt hij, minder zelfverzekerd dan anders. 'Al jaren. Jullie hebben het recht niet om het zomaar in te pikken.'

'Wat deed jij onder mijn bed?'

'Ik kom iets halen dat van ons is.'

Ik kruis mijn armen. 'Er is hier niets van jullie. Mijn kamer uit!'

Hij twijfelt, vertrouwt me duidelijk niet. Gelijk heeft hij, want ik ben van plan hem een fikse dreun te geven. Hij kijkt naar het raam, hij zal toch niet... Nee, hij graait mijn beer van het bed, ramt mij omver en schiet over me heen de deur uit. Verbouwereerd stommel ik overeind. De kleine vliegt de trap af en ontsnapt via de voordeur. Ik ren hem achterna. Als ik hem bijna te pakken heb, begint hij te roepen en gooit mijn beer met een zwaai voor zich uit. Naar de andere jongens.

'Daar is ze!' schreeuwt de lelijkerd.

De gespierde vangt mijn beer op en komt dreigend op me af. Ik heb geen keus, ik vlucht weer naar binnen en verschans me achter de voordeur. Even verwacht ik dat ze zullen aanbellen, maar daarvoor zijn ze te laf, zonder het meisje stellen ze niets voor.

Pas nu dringt het tot me door dat ik niet alleen mijn beer, maar ook oma's gouden ketting kwijt ben. Met tranen van onmacht loop ik naar mijn kamer. Door het raam zie ik dat de straat verlaten is. Waarschijnlijk tonen ze nu trots hun buit aan het meisje. Straks bengelt oma's ketting om haar nek. Laat dat niet waar zijn! In mijn hand hou ik nog steeds Filous kokertje. Dat het niet meer om Filous nekje hangt, voorspelt niet veel goeds. Ik draai het open en haal het rolletje papier eruit. Op het papiertje staat het slakkenteken. Ik denk na. De kleine zocht iets onder mijn bed. Ik schuif mijn bed opzij en onderzoek de plankenvloer. Twee planken zitten los. Als ik rechts op de planken duw, komen ze links omhoog. Onder de planken is er een diepe holte. Ik leg me plat op de vloer en tast met mijn hand in de ruimte. Ik haal er een houten kistje uit. Op het deksel staat opnieuw het slakkenteken. Nieuwsgierig open ik het kistje, maar mijn ontgoocheling is groot. Er zitten enkel prullen in:

een half pakje sigaretten, een aansteker, wat kleingeld, kroonkur-ken, een boekje met vieze prenten, een zakmes, een spuitbus en het kartonnen sjabloon van het slakkenteken. Gewoon belachelijk, ik voel me haast bedrogen. Zo stom.

Maar hoe dan ook moet ik oma's ketting terug zien te krijgen en Filou en mijn beer. Het meisje zal niet bereid zijn om te ruilen tegen deze troep. Enkel het zakmes lijkt van enige waarde, maar oma's ketting is minstens tien keer zoveel waard. Ik moet iets an-ders bedenken, maar wat?

Om de vijand te overwinnen, moet je in zijn hoofd kruipen. Dat was Joriens motto. Als Jorien me spiekpapiertjes dicteerde, dacht ze eerst na over wat de juf zoal kon vragen op de toets. Met onze boeken in de hand was dat niet zo moeilijk te raden. Maar hoe denkt dit meisje? Ik sluit mijn ogen. Macht, daar kickt ze op, dat is duidelijk. Ze vindt het leuk om anderen bevelen te geven, om te tonen wie de sterkste is. Misschien vindt ze het zelfs leuk om anderen pijn te doen. Alleen voor haar pa is ze bang. Ze vloekte dat hij haar zou vermoorden voor de kapotte bril. Misschien moet ik eens met meneer bullebak gaan praten. Hem zeggen wat voor een dochter hij heeft. Een dochter die steelt, rookt en vieze boek-jes leest, zodat hij haar... Help, ik begin echt te denken zoals zij. Ik wring me terug uit haar hoofd. Ik wil helemaal niet zo zijn, er is niets leuks aan.

Was opa er nog maar. Hij wist altijd een oplossing te bedenken als ik in de knoei zat. Zoals die keer toen de juf een spiekbriefje van de grond raapte. Een spiekbriefje dat ik voor Jorien schreef. Ze is nu eenmaal lui. Hoewel Jorien alle schuld op zich nam, geloofde de juf haar niet. Volgens het reglement moest ik een nul krijgen voor dat examen. Toen was opa met de juf gaan praten. 'Je boft met zo'n opa', had ze daarna tegen me gezegd, maar dat wist ik al. Over het spiekpapiertje werd niet meer gesproken.

Ik neem het beduimelde boekje uit het kistje. Dit mag niet in mijn kamer blijven rondslingeren of mama stelt zich weer onnodig vragen.

Misschien weet Beth raad? Zij weet wie de kinderen zijn en waar ze wonen. Haar kan ik alles vertellen, zonder dat het botst. Ik stop het kistje in mijn rugzak, Beth zal het wel in bewaring willen nemen.

Als ik de trap afkom, roept mama vanuit de keuken: 'Is dat vriendje van jou al weg?'

'Euh ja.'

Ze komt de gang in. 'Die had wel haast.'

Ze weet dat er iets niet klopt, maar ze vraagt niet verder.

'Hij is iets vergeten.' Ik steek mijn rugzak in de lucht. 'Ik breng het hem even.'

11

'Ik weet het niet meer', zeg ik uitgeput. 'Maar het spookt niet in mijn hoofd. Mama's bloedneus was echt. En die kreet op de muur is geen flauwe grap.'

Beth heeft naar mijn verhaal geluisterd zonder één woord te zeggen. Ze rommelt wat in het kistje van de kinderen. Minet wacht boven op een stapel boeken geduldig haar beurt af.

'Mooi mes', zegt Beth goedkeurend. 'Duidelijk geen speelgoed.' Daarna haalt ze het vieze boekje eruit en bladert erin alsof het een tegelcatalogus is.

Minet snuffelt aan het mes en probeert met haar poot een sigaret uit het pakje te halen.

'Laat die viezigheid', berispt Beth haar.

'Voor het voorval met die bril was het meisje gloeiend kwaad.'

'Als ze hem niet gelijmd krijgt, zal haar pa meer dan gloeiend kwaad zijn.'

'Maar dat is toch niet mijn fout', zeg ik klein.

'Nee', zucht Beth. 'Het is niemands fout. Maar daarom is het niet minder erg.'

Ik neem Minet op mijn schoot en krabbel onder haar kin. Ze kijkt me met een schuin oog aan, klaar om bij de eerste verkeerde beweging weg te vluchten.

'Ik wil weg uit het huis. En ik wil oma's hanger terug en mijn poes en mijn beer.'

Beth knikt. Ze legt het boekje op tafel. 'Laten we de dingen rustig bekijken. De kreet op de muur is één zaak. Je oma's hanger en de rest is een andere zaak.'

Ze kijkt me peinzend aan. 'Wat dat laatste betreft, zijn er twee mogelijkheden, ofwel vertel je je moeder alles...'

'Dat kan ik toch niet...' jammer ik.

'Je hebt het jezelf niet makkelijk gemaakt. Maar wil je verder doen zoals je bezig bent?'

Ik schud mijn hoofd.

'Mama wordt altijd boos als ik niet lieg', verdedig ik me.

'En daar ben je bang van?' Beth klakt met haar tong. 'Is het niet eerder dat je zonder leugens misschien je zinnetje niet krijgt?'

Ik ben moe, misschien was een bezoek aan Beth toch niet zo'n goed idee.

Maar Beth laat niet los. 'Liegen is stelen. Woon jij graag met een dief in hetzelfde huis?'

Ik antwoord niet, ik weet dat ze gelijk heeft.

'Meer nadenken, en vooral meer aan je mama denken.'

'Ik zal het proberen.'

'Proberen, wat is dat nu voor onzin! Doen!'

Ik krijg tranen in mijn ogen en bijt op mijn lip om niet te huilen.

Beth staat op en schuifelt naar haar zetel voor het raam. 'Ons probleem is dat we zo goed in ons eigen velletje passen. Het vel van een ander aantrekken vraagt moeite.' Ze zakt weer in haar zetel en staart zwijgend naar buiten.

Ik kan maar beter zwijgen en afwachten.

Minets argwaan is verdwenen. Ze geeft me kopjes en spint zacht. Het getik van de slingerklok in de keuken sluipt tot hier. Tik, tik, tik...

Beth kucht zacht. 'Wat het huis betreft,' aarzelt ze, 'moet ik je misschien het hele verhaal vertellen.' Ze kijkt me doordringend aan.

'Wat je bij de bakker hoorde klopt: dokter Laurens was uitstekend in zijn vak. Hij was een innemende arts die goed kon luisteren. Hij stelde je op je gemak, nam uitvoerig de tijd... Na een consultatie voelde je je al half genezen. Ook ik liet me daardoor misleiden.' Beth bevestigt knikkend haar eigen woorden.

'Met Emma, zijn vrouw, ging het echter niet zo goed. Haar eerste kind werd dood geboren, en ze raakte maar niet over dat verlies heen. Ze leed aan wanen, zonderde zich af, overdag kwam ze haar kamer niet meer uit en 's nachts dwaalde ze door het huis op zoek naar haar kind.'

Ik was toch juist, denk ik bij mezelf.

'Er volgde al snel een tweede kind, dat blaakte van gezondheid. Maar zelfs dat bracht geen verandering in haar toestand. De dokter zorgde voor haar zo goed hij kon. Hij wou haar niet laten opnemen in een verzorgingstehuis, want in die tijd werden de gekken er nog behandeld met elektroshocks en ijsbaden. "Het is niet makkelijk om iemand tegen zichzelf te beschermen, maar ik kan het niet over mijn hart krijgen om haar te laten opsluiten", zei hij. Dat was zijn versie van het verhaal en niemand had enige reden om aan die versie te twijfelen.' Beth schudt haar hoofd, alsof ze nog steeds niet kan geloven hoe dat laatste mogelijk was.

'Het tweede kind was een stil en onopvallend jongetje. Hij heette Simon, net zoals de dokter. Wanneer de dokter werkte, speelde hij in zijn eentje in de bijkamer van de consultatiekamer. Soms liep hij tussen twee consultaties door bij zijn vader binnen. Je merkte hem nauwelijks op. Toen hij de leeftijd kreeg om naar school te gaan, vroeg ik de dokter wanneer dat zou gebeuren. Mijn vraag beviel hem duidelijk niet. "Simon kan al lezen en schrijven", antwoordde hij, maar Simon keek me zo weemoedig aan dat ik de dokter voorstelde om de jongen privéles te geven. Hij ging akkoord op voorwaarde dat ik strikt zijn richtlijnen volgde. De leerstof, de boeken, alles moest door zijn handen gaan. In al die jaren dat ik lesgaf had ik nog nooit zo'n censuur meegemaakt, maar toch was het leuk om Simon les te geven. Hij was buitengewoon slim, duidelijk een kind van zijn vader. Ze leken ook sprekend op elkaar: dezelfde gelaatstrekken, dezelfde ogen, hetzelfde haar. Beetje bij beetje leerde ik hem kennen. Nee, ik zeg het verkeerd, ik leerde hem juist niet kennen. Telkens als ik hem iets persoonlijks vroeg, zweeg hij en wachtte hij geduldig op de volgende vraag. Hij was erg gesloten, wat ik niet vreemd vond, aangezien hij geen speelkameraadjes had. Toch kreeg ik het gevoel dat er iets niet klopte. Zo verliet de dokter nooit de werkkamer als ik Simon lesgaf, zelfs niet als Emma in de kamer boven ons gilde of hard op de vloer bonsde. Voor de dokter hoorden het gegil en gebons bij de geluiden van het huis. Ik had het er moeilijk mee. Dat hij er zijn consultaties niet voor onderbrak, tot daar aan toe, maar zijn papierwerk? Nee, dat kon er bij mij niet in. Ook de treurige blik van Simon als zijn moeder gilde, wende niet.

Op een avond had Emma een verschrikkelijke aanval. Ze bleef maar gillen. De dokter verroerde zich niet. Even leek het erop dat Simon zou gaan huilen, maar hij beheerste zich. We waren net met een dictee bezig. Hij kon zich niet meer concentreren en maakte in één zin verschillende fouten. Toen ik hem corrigeerde en de ontbrekende letters in het rood op zijn blad schreef, zag ik de woorden "H E L P O N S" verschijnen.'

Dezelfde boodschap als in de donkere kamer.

Beth knikt dat ik nog even geduld moet hebben. 'Ik ging door met de les, maar gaf Simon onopvallend mijn kleine zilveren broche van Vincentius, als teken dat ik zijn boodschap had begrepen.

Er volgde een slopende tijd. Ik moest te weten komen wat er precies aan de hand was. Simon zweeg angstvallig, het bleef bij die ene boodschap. De dokter zelf kon ik niets vragen, dat was duidelijk.

Eén van de volgende avonden kreeg de dokter een dringende oproep. Zoals gewoonlijk verzocht hij me de les op te schorten. Maar toen de dokter de straat uit was, keerde ik terug naar het huis en belde aan. Simon deed niet open. Ook niet toen ik zijn naam riep. Ik liep rond het huis, nergens brandde er licht, nergens was er een teken van leven. Die avond belde ik een oom, die ook arts was, en vroeg hem om raad. Mijn vermoeden was dat de dokter Emma en Simon gevangenhield, maar ik had geen idee waarom. Mijn oom hielp me de situatie uit te klaren. Hij bezorgde de dokter een uitnodiging voor een belangrijk medisch congres zodat we die avond het huis konden doorzoeken. Mijn vrees was terecht: we vonden Emma opgesloten in haar kamer, verdoofd door kalmeringsmiddelen. Naar Simon moesten we zoeken.'

'In de bijkelder?'

Beth knikt. 'Hij jankte als een klein diertje dat met een pootje vastzit in een wolfsklem. Mijn oom nam hen allebei mee.' Beth stopt met vertellen.

'Dat is toch niet het einde?!'

'Nee, het was alleen veel erger dan ik vermoedde. Het duurde een hele tijd tot Emma rust vond, toen vertelde ze haar kant van het verhaal.

Ze was op jonge leeftijd met de dokter getrouwd. Naïef verwarde ze zijn niet aflatende bekommernis met liefde. In werkelijkheid controleerde en manipuleerde hij haar doen en laten tot in het absurde. Hij beschouwde haar als zijn eigendom, een voorwerp zonder een eigen wil.

Emma van haar kant was verliefd en probeerde hem zoveel ze kon te plezieren Ze brak voor hem met haar verleden, haar familie en cijferde zich volledig weg.

Pas bij de geboorte van hun eerste kind gingen haar ogen open.

Ze beviel thuis, enkel onder de hoede van de dokter. Het was een meisje en de dokter maskeerde zijn ontgoocheling niet. Hij had een zoon in gedachten gehad, een kleine kopie van zichzelf. Hij was in die mate vol van zijn eigen kunnen dat hij er niet bij had stilgestaan dat het kind ook een dochter kon zijn. Hij brieste tegen Emma dat ze een minderwaardig gedrocht had gebaard en nam het kind bruut van haar weg. Emma, die uitgeput was van de bevalling, kon niet vatten wat haar overkwam. Versuft zag ze hoe hij het kind met ijswater waste en onbedekt in de tocht van het open raam legde. "Als het dan toch een meisje moet zijn, dan zal ze Spartaans opgevoed worden", zei hij erbij. Emma's moederinstinct schudde haar wakker. Ze probeerde in te grijpen, maar de dokter had haar voor de bevalling een forse verdoving gegeven, waardoor ze zelfs haar benen niet meer voelde. Tegen de avond rilde het kind van de koorts. Emma kroop op handen en knieën naar het kind toe. Ze smeekte de dokter om het te redden, maar hij was onverbiddelijk: "Als het sterk genoeg is, zal het leven." Drie dagen lang vocht het meisje om haar leven. Alle pogingen van Emma om hulp van buitenaf in te roepen, werden door de dokter verijdeld.

Het kind werd begraven op de plek waar hij zijn medicijnoverschotten dumpte.'

Beth zwijgt abrupt en staart wezenloos voor zich uit.

'Maar,' protesteer ik, 'het is toch niet omdat hij een zoon wou dat het meisje dood moest?'

'Nee, inderdaad. Het hoefde ook niet te sterven. Maar slechts weinig kindjes zouden zo'n begin overleefd hebben, als dokter wist hij dat maar al te goed. Hij nam wraak omdat hij ontgoocheld was. Emma moest zo vlug mogelijk opnieuw zwanger worden. De baby zou energie van haar vragen en stond dus in de weg. Het ging hem enkel om zichzelf. De dokter was wat je noemt een psychopaat, een egoïst zonder inlevingsvermogen en zonder geweten.'

'Wat gebeurde er met Emma?'

'Ze gruwde van de dokter en wou weg, maar dat was buiten de dokter gerekend, zijn plan was immers niet voltooid. Hij sloot haar op in een van de kamers en zodra haar lichaam van de bevalling hersteld was, verkrachtte hij haar.

Het tweede kind was een jongen. Emma's taak was volbracht. Maar natuurlijk kon de dokter haar niet laten gaan. Hij liet haar zoveel kalmeringsmiddelen slikken dat ze niet meer van deze wereld was.' Beth schudt haar hoofd, alsof ze het nog altijd niet kan geloven. 'Ze moet echt vlagen van waanzin hebben gehad. Die wanhoopskreet op de muur die jullie ontdekten, getuigt daarvan. Simon moet de kreet ook gezien hebben. Hij moet zo onder de indruk geweest zijn, dat hij de moed vond om de boodschap door te geven.'

'Waarom vermoordde de dokter Emma niet gewoon zodra hij zijn doel bereikt had?' vraag ik, alsof ik het verhaal nog akeliger wil maken.

'Ik stelde me dezelfde vraag. Die jarenlange komedie was nergens voor nodig. De dokter kon immers makkelijk veinzen dat ze zelfmoord had gepleegd, een overdosis kalmeringsmiddelen volstond. Mijn oom legde uit dat die komedie de dokter goed uitkwam. Het hield zijn reputatie van "goede dokter" hoog. Buitenstaanders zagen in zijn zorg voor Emma een daad van barmhartigheid, het verhoogde zijn aanzien, het ondersteunde zijn verwaande zelfbeeld. Hij was een man met twee gezichten.'

'En waarom sloot hij Simon op?'

'Om niet het risico te lopen dat Simon buiten hem om contact had met zijn moeder. De jongen had wel eens kunnen twijfelen aan zijn vaders goedheid. Daarom liet hij hem geloven dat het opsluiten noodzakelijk was voor zijn eigen veiligheid, voor het geval dat de gekkin uit haar kamer ontsnapte. Hij terroriseerde Simon net zo erg als hij Emma kwelde, zij het op een andere manier. De jongen werd streng en zonder gevoelens opgevoed. Want gevoelens voor anderen kende de dokter niet, zelfs niet voor zijn eigen zoon. Maar hij onderschatte Simon, en gelukkig maar.'

'Wat deed de dokter na hun ontsnapping?'

'Precies wat mijn oom me voorspelde. Om geen argwaan te scheppen belde ik de dag daarna bij de dokter aan. Hij opende de deur, maar zijn blik was ijzig. Hij vroeg me wat ik moest. Ik antwoordde dat ik voor zijn zoon kwam. "Ik heb geen zoon", was zijn antwoord.

Waarschijnlijk dacht hij dat Emma en Simon zelf ontsnapt waren. In zijn ogen had Simon hem verraden en dat kon hij niet aan.

Na de feiten stopte hij met zijn dokterspraktijk en leefde hij als een eenzaat verder. In het dorp doken allerhande verhalen op. Er kwam zelfs een politieonderzoek, maar zonder gevolg. Emma zelf diende geen klacht in. Ze was bang dat hij het proces met zijn gemanipuleer zou winnen en Simon aan hem zou toegewezen worden. Voor de buitenwereld was hij immers een respectabel iemand, terwijl er van haar na al die jaren tirannie niet veel meer restte.

Mijn oom steunde haar in die houding. "Tegen dat soort gekken heb je geen verweer", zei hij. "Wanneer zo iemand je in zijn web gevangenhoudt, word je leeggezogen, je gevoelens worden afgestompt en je morele code gewist. Het beste wat je kunt doen, is hard gaan lopen." Daarom mocht ik ook tegen niemand van het dorp iets vertellen, je wist maar nooit of de dokter achter Emma en Simon aan zou gaan.'

'Wat gebeurde er daarna met hen?'

'Mijn oom hielp hen om opnieuw te beginnen. Ze zijn nooit naar dit dorp teruggekeerd. Het laatste wat ik van hen hoorde, is dat Simon nu advocaat is. Waarschijnlijk een heel goede, want oom zei me dat de jongen het uiterlijk en het verstand van zijn vader heeft, maar het hart van zijn moeder.'

Beth zucht diep, alsof ze van een last verlost is. 'En nu lust ik wel een kopje thee. Mijn keel is kurkdroog.'

Ik zet Minet tegen haar zin op de grond en ga naar de keuken. In mijn hoofd beginnen de dingen op te klaren. De donkere kamer, de noodkreet onder het behang, het slot op de deur van de bijkelder. Maar de puzzel is nog niet compleet. Er is nog die huilende baby die ik hoorde en die rottelefoons.

'Je hoeft geen koekjes meer te zoeken', roept Beth vanuit haar zetel. 'Ze zijn op.'

'Heb je die hele doos leeggegeten?!'

'Ja, ik had een beetje buikpijn deze ochtend.'

'Zit je velletje nu niet te strak?'

'Ach, het zal me wat.'

'Toch is het verhaal niet helemaal af.' Ik zet het dienblad op tafel en schenk de thee uit. 'Er is nog die baby die ik gisternacht hoorde huilen.'

Beth likt minutieus haar lepeltje af. 'Weet je zeker dat het een baby was?'

Ik knik. 'Misschien was het een echo uit het verleden.'

Beths wenkbrauwen gaan omhoog. 'Een geluidsgolfje dat zich achter het behang verstopte?!' Ze schudt lachend met haar hoofd. 'Er moet een andere verklaring voor zijn.'

'En die dreigtelefoons? Die hoorden mama en papa ook. Misschien dat dokter Laurens...'

'Hij heeft jullie het huis verkocht, er is geen reden waarom hij jullie eruit zou willen.'

'Als hij gek is...'

'Hij doet niet zomaar wat. Dat is net het probleem. Hij behoort tot de soort gekken die heel precies weten wat ze doen. Vandaar dat er voor hen geen pardon geldt.' Zwijgend drinken we onze thee op.

'Zou het kunnen dat dat meisje...'

'Ook zo is?' maakt Beth mijn vraag af. 'Nee, haar probleem is haar vader. Hij is een bullebak, maar hij blijft wel haar vader. Volgens mij imiteert ze zijn gedrag om zichzelf overeind te houden. Soms helpt het je als je pijn kunt doorgeven.'

'En daarbij je schouders ophalen?'

'Iedereen, uitgezonderd die gekken, heeft in zich een knopje zitten om zijn gevoelens voor anderen aan of uit te zetten. Ook jij en ik.'

'Maar hoe zie je het verschil tussen een gek en een knopje dat op uit staat?'

'Dat zie je niet, dat voel je. Maar als zo'n knopje te lang op uit staat, stomp je ook werkelijk af en krijg je vroeg of laat af te rekenen met de gevolgen daarvan. Niemand komt ongeschonden uit een oorlog terug. Daarom moet iemand zich om het meisje bekommeren voor het te laat is.'

'Kun jij dat niet?'

Beth schudt haar hoofd. 'Niet dat ik niet zou willen, maar ik heb de kracht niet meer.'

'Ik kan het meisje vragen dat ze naar jou komt.'

'Met het excuus haar spullen hier op te halen? Nee, ze heeft meer dan een gesprek nodig, ik kan niet voor haar zorgen. Hoe lang heb ik nog, een jaar, een paar maanden, weken, dagen? Dat volstaat niet.' Beth zucht diep. 'De hoop opgeven dat het allemaal wel goed komt, dat is oud worden, kindje.'

Als ik in de late middag thuiskom, stormt mama overstuur de gang in. 'Waar ben je de hele dag geweest?!'

Ze neemt me hard bij de schouders vast en kijkt me recht in de ogen.

'Heb jij gevochten vandaag?'

Hoe is ze daar achter gekomen?

'Ik vraag je iets, Lana! En geen leugens deze keer!'

'Een beetje', antwoord ik zwak.

'Een beetje!' Ze sleurt me mee naar het salon.

'Noem je dat een beetje?!'

Ik slik. Voor mij staat het meisje. Ze is lelijk toegetakeld. Haar rechteroog ziet donkerpaars, haar lip is gezwollen en haar armen staan vol rode striemen, alsof ze met een zweep werd afgeranseld. Ze kijkt naar de vloer. Naast haar staat de schuldige: de bullebak. Groot, struis en met een stompzinnige blik. Ik voel me vanbinnen ijskoud worden. Op de tafel ligt de gebroken bril en mijn brief voor Jorien, waarvan de onderste helft is afgescheurd. Ook dat nog.

'Dat wordt dus dokken voor de bril, voor de dokter en voor de scheur in mijn dochters beste jas', zegt de bullebak in plat dialect. Hij houdt zich nog net in om niet op onze vloer te spuwen. Zelfs op een afstand ruik ik de ranzige bierlucht.

Ik kijk hem recht in de ogen. Hij heeft wel lef, ze droeg niet eens een jas.

'Honderd vijftig euro minimum', zegt hij zonder te verpinken.

'Ik wil jouw kant van het verhaal ook horen', richt mama zich boos tot mij.

Het meisje slaat haar ogen op, voor het eerst kijkt ze me echt aan. Ik kan in haar ogen zien wat er zich heeft afgespeeld. Ze komt thuis met de gebroken bril. Maar nog voor ze hem heeft kunnen lijmen, brult haar vader al. Iets in de trant van: 'Kun je niet beter op je spullen passen?! Zo'n bril kost handen vol geld! Ik ben het zat om mij voor jou krom te werken! Wat denk je wel! Niet het minste respect!' Zijn vlakke hand treft haar hard in het gezicht. Maar ze geeft geen krimp, waardoor hij nog kwader wordt. Hij grijpt haar vast. Zijn vuist komt op haar oog neer, van de schok duizelt ze even, maar ze blijft overeind. Hij maakt zijn riem los en begint haar af te ranselen tot haar stille verzet breekt en ze huilend op de grond valt en mij de schuld in de schoenen schuift. Ik kijk van haar naar haar vader en opnieuw naar haar. Ik heb het gevoel dat ze nog steeds huilt, maar dan zonder tranen.

'Wel, komt er nog wat van?' vraagt mama ongeduldig.

'Het spijt me', hoor ik mezelf stil zeggen.

'Wat zei je?!' vraagt mama.

'Het spijt me', zeg ik opnieuw, maar iets luider deze keer.

De dikke lip van het meisje trekt een beetje omhoog in een pijnlijke glimlach.

Mama geeft me ruw een duw. 'Naar je kamer!'

Een uur later lig ik nog steeds verdoofd op mijn bed. Het valt niet meer goed te maken met mama. Nadat het meisje en de bullebak de deur uit waren, ging ze als een razende tegen me tekeer. Nog nooit heb ik haar zo kwaad gezien. Ze schudde me tot ze niet meer kon. Uitgeput strompelde ze de gang op. Ik had haar achterna willen gaan, haar alles vertellen, maar ik zakte op mijn bed in elkaar en kroop weg in het donkerste plekje van mijn gedachten.

Het lukt me nog niet om helder te denken. Mama's getier gonst nog na in mijn hoofd en de ogen van het meisje blijven op mij gericht. Het spijt me, zeg ik bij mezelf, het spijt me dat je zo'n vader hebt. Iemand moet je helpen.

Later op de avond hoor ik dat mama gaat slapen, ze komt niet meer bij me langs. Spijtig. 'Met ruzie gaan slapen is nergens goed voor', zei opa altijd. 'Moet je nooit doen.' Maar ik denk ook niet dat het een goed idee is om nu naar haar toe te gaan.

Ik stop het kistje met rommel terug in de bergplaats onder de vloer. Beth wou niet dat ik het bij haar achterliet. Misschien heeft ze gelijk, maar toch... Opa zou wel tussenbeide gekomen zijn, daar ben ik zeker van. Dat de bullebak hem met één vuist kon vermorzelen, zou hem niet deren. En dat het mogelijk was dat hij er de volgende keer niet meer bij was, daaraan zou hij niet denken. Opa was er voor anderen.

Als ik de volgende morgen beneden kom, vind ik een papiertje op de keukentafel.

Ben om brood. Mama is duidelijk een nieuwe koude oorlog begonnen. Straks als ze terug is, vertel ik haar alles. Het zal niet makkelijk zijn, maar het moet, anders raken we er niet uit. Alleen moet mama me vooraf beloven om het meisje te sparen. Ik wil niet dat ze de zaak bij die bullebak gaat rechtzetten. Die honderd vijftig euro moet ze maar van mijn spaarrekening nemen. En vanaf nu lieg ik nooit meer.

Afwezig blader ik in de reclamefolder die op tafel ligt. Midden op het blad staat een reclameadvertentie van Huisje Weltevree. Ze houden volgende zondag een opendeurdag, met springkasteel.

Ik scheur de advertentie uit. Misschien verandert Beth van gedachten als ze er een kijkje neemt. Ik kan papa vragen om haar met de wagen te brengen. Er staat ook een telefoonnummer bij. Daarmee kan ik nagaan of dokter Laurens toch niet achter die akelige telefoons zit. Misschien heeft Beth zich vergist en heeft de dokter het huis verkocht uit geldnood en wil hij helemaal niet dat er vreemden in wonen.

Als ik zijn stem herken, dan zeg ik wat ik van hem denk, zodat hij stopt met die nare telefoontjes. Als hij het niet is, dan zeg ik gewoon dat ik verkeerd verbonden ben. Ik heb niets te verliezen.

Traag tik ik het nummer in. Er volgt een beltoon.

'Hallo, met Huisje Weltevree.'

'Kan ik mijnheer Laurens spreken?'

'Een ogenblik.'

De telefoon wordt doorgeschakeld.

'Ja, hallo?'

De mannenstem aan de andere kant klinkt helemaal niet hees of krakerig.

'Mijnheer Laurens?' vraag ik toch maar.

'Mijnheer Laurens is net overgebracht naar de afdeling palliatieve zorgen.'

'Kunt u me doorverbinden?'

Het blijft even stil.

'Ben je familie?'

'Nee, ik ken mijnheer Laurens ook niet. Maar er belde iemand...'

'Vanaf dit toestel?'

'Ja, iemand met een kraakstem.'

Het blijft opnieuw stil.

'De meeste mensen hier hebben een kraakje in hun stem. Maar mijnheer Laurens was het vast niet. Hij ligt al enkele dagen in coma, hij is bijna weg. Maar iemand anders van de oudjes kan zijn toestel gebruikt hebben. Niet iedereen heeft een telefoon op de kamer. Weet je, soms voelen de mensen zich hier alleen. En dan toetsen ze lukraak een nummer in, in de hoop aan de andere kant iemand te horen.'

'Midden in de nacht?'

'Misschien dan nog meer dan anders.'

Ik slik.

'We houden volgende zondag een opendag, waarom kom je geen kijkje nemen? Hoe meer kinderen, hoe vrolijker het feest.'

De deur gaat open, mama komt thuis. Ze loopt door zonder iets te zeggen.

'Ik zal het mijn mama vragen.'

'Dat is goed, misschien tot dan. Dag.'

Ik leg de telefoon neer. Beth heeft gelijk, de dokter zit niet achter de dreigtelefoons.

Aarzelend volg ik mama naar de keuken. Ik weet niet hoe ik moet beginnen. Ik heb geen zin in nog meer ruzie.

Mama gooit haar tas op tafel. 'De bakker was gisteren wel open.'

Dit is niet het juiste begin.

'Ik zal er maar van uitgaan dat je altijd liegt. Dat maakt voor mij de zaak eenvoudiger.'

Ze kijkt me niet aan en propt onhandig het brood in de broodtrommel.

'Wat wilde je me vragen?' vraagt ze met een onderkoelde stem.

'Of we naar de opendag van het bejaardentehuis gaan', zeg ik stil.

Mama's handen zoeken steun op de keukentafel. Ze haalt diep adem. 'Het bejaardentehuis... Dit verdien ik niet.' Ze draait zich om en gaat via de achterdeur de tuin in.

Door het raam zie ik haar via het kronkelwegje tussen de netels verdwijnen. Ze heeft me geen kans gegeven. Ik zal op papa moeten wachten om alles recht te zetten.

Plots klinkt er in de tuin een gil. Ik storm naar buiten.

'Mama?!'

Ik vind haar bij de zieke boom. Ze kijkt me vreemd aan, alsof ze me niet kent, en me ook niet wil kennen.

'Ik kan het niet meer aan', snikt ze. 'Jij bent mijn kind niet meer.'

Ik wil haar in mijn armen nemen, maar ze duwt me opzij, de netels in. Ik blijf onthutst achter. Dan zie ik wat haar deed gillen: in de boom bengelt mijn beer, zijn kop in een strop. Hij is helemaal doorweekt, zijn vacht klit in toefjes samen, zijn buik is opengereten en gevuld met netels. Woest maak ik hem los. Ik trek de netels uit zijn buik. Mijn handen branden.

'Rotkinderen!' schreeuw ik.

Achter mij hoor ik mama de wagen starten, als ze maar nergens tegenaan knalt in deze toestand.

Binnen zie ik dat ze zelfs haar gsm op de keukentafel vergat. Het icoontje van 'geen bereik' knippert.

Ik bel papa met het gewone toestel. Vanuit Hamburg zal hij niet direct kunnen helpen, maar toch... Maar als de beltoon overgaat in zijn stem op zijn antwoordapparaat voel ik me nog slechter.

14

Met mama's haardroger probeer ik weer leven in mijn beer te bla-
zen. Even dacht ik dat de jongens op hem plasten, maar gelukkig
stinkt de nattigheid niet. Ik steek mijn vuist in zijn lege buikje.

Plotseling gaat de bel. Voor ik de deur open, kijk ik via het raam
in de zijkamer naar buiten. Het is een man in een maatpak. Vast
iemand van het ontwerpbureau.

Ik doe open.

Hij knikt me toe. 'Zijn je ouders thuis?'

'Nee.'

'Het klinkt allicht wat vreemd', zegt hij aarzelend. 'Maar ik heb
hier vroeger gewoond, ik was in de buurt en ik dacht: laat ik even
naar het huis gaan kijken. Zou dat kunnen?'

'Bent u de zoon van dokter Laurens?'

Hij kijkt me verrast aan en knikt bevestigend. Hij steekt zijn hand
uit. 'Simon. En jij bent?'

'Lana.'

Normaal mag ik vreemden niet zomaar binnenlaten, maar Simon heeft iets dat al mijn argwaan wegneemt. En het is heus niet
alleen omdat hij knap is.

'Wilt u alleen rondkijken of...?'

'Liever samen als jij dat niet vervelend vindt.'

Ik knik.

We beginnen met de kamers aan de straatkant.

'Het huis is verkommerd, we zijn het aan het opknappen', waar-
schuw ik.

'Dit was de wachtkamer,' zegt hij. 'En hier ontving de dokter zijn
patiënten, terwijl ik me in het bijkamertje in stilte bezighield.'

Het valt op dat hij 'de dokter' zegt, in plaats van 'mijn vader'. Ik
probeer in hem het kleine, angstige jongetje te zien over wie Beth
vertelde, maar het lukt niet. Ik toon hem de zichtbare mankemen-
ten van het huis, alsof hij er iets aan kan verhelpen.

In het salon wijs ik hem waar we de muur zullen uitbreken. 'Mama wil het huis in de oorspronkelijke staat herstellen. Verdroeg de dokter geen buitenlicht?'

'Hij verdroeg niet veel.'

We gaan de trap op. Bij de donkere kamer aarzelt hij.

'Het licht sprong gisteren stuk. We waren net het behang aan het afsteken.'

Simon twijfelt, maar dan knipt hij een aansteker aan en gaat de kamer binnen. Pal voor de hulpkreet blijft hij staan.

We zwijgen.

'Laten we weer naar beneden gaan', zegt hij stil.

'Wil je misschien een kop thee?'

'Kan ik eerst de kelder nog zien?'

'Het ruikt er niet bepaald fris. Als het regent, loopt er water binnen.'

'Dat hindert niet.'

We dalen de keldertrap af en blijven verloren in de smurrie staan.

'Als je wilt, wacht ik even boven.'

'Nee', antwoordt hij haastig.

Plots horen we gescharrel vanuit de bijkelder.

'Mama denkt dat er muizen zitten.'

Het gescharrel gaat over in gehuil. Het is de baby die ik hoorde! Het gehuil wordt gevolgd door gegrom. Ik probeer de grendel opzij te schuiven, maar het lukt me niet. 'Hij zit helemaal vastgeroest, misschien lukt het met een hamer.'

'Een hamer is niet nodig.' Hij lijkt te twijfelen, maar zet dan zijn schouder tegen de deur en heft ze tegelijk omhoog. Zijn maatpak wordt vuil, maar dat stoort hem niet. De grendel komt los, hij schuift hem opzij en duwt de deur open. Ik knijp mijn neus toe. In het donker beweegt er iets.

'Filou!'

Jankend komt de poes naar buiten.

Ik neem haar in mijn armen. Ze ziet er niet uit, haar pootjes zijn nat en haar vacht plakt vol viezigheid. Ze stinkt.

'Ze moet er langs daar in gesukkeld zijn', wijs ik naar het schuine gat bovenaan in de buitenmuur. Naast het gat verdwijnt er een dikke afvoerbuis in de muur. De buis is gebarsten en er drupt smurrie uit. Vandaar de stank.

'Het is een oud steenkolenhok, via dat gat werden de kolen naar binnen gestort', zegt Simon. Zijn stem bibbert.

Ik zet Filou op de grond en leg mijn hand op zijn arm. 'De dokter sloot jou hier op.'

Hij kijkt me verschrikt aan. 'Hoe weet je dat?!'

'Van Beth, zij...'

'Van Beth? Leeft Beth nog?!'

Ik knik. 'Ze vertelde me alles.'

Hij kijkt bedrukt. 'Die goeie Beth, zonder haar was het niet goed afgelopen.' Hij hurkt neer in de bijkelder en gaat met zijn hand langs een uitgeholde richel. Hij pakt er iets kleins, wrijft het met zijn zakdoek schoon en toont het me: het is Beths zilveren broche. 'Die goeie Beth...' zegt hij opnieuw. 'De kelder is nog kleiner dan ik me herinner. Iedere keer dat hij me opsloot, stierf ik van angst. Al die uren in het donker. Altijd de vrees dat ik van de honger zou omkomen als hem iets overkwam. In de winter bevror ik van de kou... Achteraf heb ik geprobeerd het te begrijpen, maar het is me niet gelukt. De dokter was een ziek man.' Hij staat op. 'Laten we naar boven gaan.'

In de keuken geef ik Filou melk, ze is uitgehongerd. Waarschijnlijk ontsnapte ze en in een poging om weer het huis binnen te raken, sukkelde ze in dat kolengat. Terwijl ze gulzig de melk naar binnen slobbert, breng ik Simon een kop thee op het terras.

Hij heeft zich hersteld en vertelt voluit over Beth. 'We hebben haar nooit kunnen bedanken voor wat ze voor ons heeft gedaan. Zolang de dokter hier verbleef, wou moeder onder geen beding terug. Beth moet ondertussen al heel oud zijn.'

'Dat is ze ook. Ze heeft hulp nodig, ze raakt amper uit haar zetel.'

Simon denkt na. 'Moeder zou haar kunnen helpen. Het zou een goede oplossing zijn, zowel voor Beth als voor moeder, want waar ze nu woont, kan ze niet blijven. Weet je, toen ik in de krant las dat het huis te koop stond, heb ik een bod gedaan.'

'Was jij die tweede koper?'

'Ja, maar de dokter wou het niet aan mij verkopen. Sinds de dag waarop Beth ons bevrijdde, bestaan we voor hem niet meer. Toen ik van de notaris hoorde hoe ziek hij was, wou ik hem een bezoek brengen. Niet om alles gauw even bij te praten, want dat kan niet. Maar toch wou ik hem nog even zien... De verpleger die het hem voorstelde, kreeg als antwoord dat hij nog liever stierf, en niet veel later raakte hij in coma.'

'Een akelige man.'

'Een zieke man', zegt Simon opnieuw.

'Maar waarom wou je het huis kopen, het zit vol nare herinneringen?'

'Ik was van plan het te slopen en een nieuw huis te bouwen. Ik hoopte het verleden op die manier af te sluiten. Maar het is goed dat jullie het kochten en het idee dat jullie de verbouwingen van de dokter teniet zullen doen, bevalt me.'

'Het zal jaren duren, zei mama, het kost veel geld.'

Simon kijkt me zwijgend aan. 'Ik kom van bij de notaris. De dokter vroeg hem onlangs om raad, hij wilde de hele erfenis wegwerken zodat ik niets erfde. Vandaar dat het huis te koop werd gezet. Geld kun je gemakkelijk uitgeven. Het is onvoorstelbaar wat de dokter allemaal bedacht. Gelukkig is de notaris een redelijk man, hij vroeg me om langs te komen om de zaak te bespreken. Ik wil het geld van de dokter niet, maar jullie zouden het kunnen gebruiken om het huis weer in zijn oorspronkelijke staat te brengen.'

Ik kijk hem verbluft aan. Zomaar een pak geld cadeau krijgen?

'Er was nog een andere reden waarom ik het huis dacht te kopen', gaat hij verder. 'Moeder had haar eerste kind graag een echte rustplaats gegeven. Volgens haar begroef de dokter het ergens in de tuin.'

'Ik denk dat ik weet waar. Als je wilt, toon ik het je.'

We lopen samen naar de plek met het zieke boompje.

Hij knikte. 'Moeder zei dat het op de plek was waar hij het over-schot van zijn medicijnen dumpte. Het gif heeft de plek aangetast.'

Zwijgend gaan we weer naar binnen.

'Rond hoe laat komen je ouders thuis?'

'Papa zit in Hamburg, hij komt pas morgen terug. En mama...'

'Wat is er?'

Ik kijk hem aan en begin te vertellen. Het hele verhaal: van oma's ketting tot hoe ik mijn beer terugkreeg. Zelfs oma's hond in Xsangs diepvriezer vergeet ik niet. Simon luistert en luistert. Aan het einde van mijn verhaal zak ik uitgeput in elkaar.

Hij neemt mijn beer van tafel en bekijkt de schade. 'Die kinderen zitten achter die nare telefoons. Het zoontje van de notaris spreekt door zijn neus. Hij is achterlijk, de anderen stookten hem vast op.'

Ik knik. De notaris heeft inderdaad ons telefoonnummer.

'Heb je geen idee waar je moeder kan zijn? Bij een vriendin of zo?'

'Ik weet het echt niet. Ik kon haar toch niet zeggen wat er echt was gebeurd? Dat meisje zag er niet uit.'

Hij knikt. 'Het arme kind. Als moeder bij Beth kan intrekken, zal zij voor haar zorgen. Anders grijp ik zelf wel in. En voor die Chi-nees kan ik ook het nodige doen.'

Ik kijk hem dankbaar aan.

Filou komt uit de keuken, ze ziet er tevreden uit.

'Zouden we Beth een bezoek kunnen brengen?'

'En mama?'

'Laat een briefje voor haar achter.'

Ik neem een blad. *Mama, bel me op je gsm, ik wil je alles uitleggen, zal nooit meer liegen.*

'Kan Filou ook mee?'

Beth kan haar ogen niet geloven. 'Jongetje, jongetje toch. Je was zo klein, je kwam niet eens tot aan mijn schouder, en kijk nu.'

Simon lacht onwennig.

'Kindje, wil jij een pot thee zetten?' vraagt Beth me. 'En de voor-raad koekjes is aangevuld.'

Met Filou in mijn armen ga ik naar de keuken. Minet ligt in de schommelstoel. Met één oog houdt ze Filou in de gaten. Behoedzaam zet ik de poes op de grond, maar er gebeurt niets.

Ik neem mijn tijd voor het theezetten, het is duidelijk dat Beth graag even alleen is met Simon. Ik geef de poezen eten, ruim de keuken op...

Tot Simon komt kijken waar ik blijf. 'Beth vraagt zich af of je alle koekjes alleen aan het opeten bent?' Hij helpt me met dragen. 'Ze is niets veranderd. Ongelofelijk.'

'En het goede nieuws is dus dat dokter Laurens op sterven ligt', gniffelt Beth terwijl ze een chocoladekoekje van de schotel neemt. 'Het hoort niet om je over iemands dood te verkneukelen, maar in dit geval kan het me niet schelen.'

Beth en Simon praten nog een hele tijd over vroeger, terwijl ik met mijn gedachten bij mama zit. Ze spreken af dat Simon morgen met zijn moeder langskomt. Beth ziet zijn voorstel wel zitten.

'Wil je dat ik je terug naar huis breng?' vraagt Simon me.

'Ik wacht liever hier op mama.'

Beth knikt. 'Dat lijkt me ook het beste.'

We zitten een boterham te eten als mama's gsm eindelijk biept.

'Mama?'

'Lana?'

Het is papa. 'Is alles goed met jou?'

'Ja.'

'Waar ben je?'

'Bij Beth, maar mama...'

'Ik weet het. Ze heeft me gebeld vanuit het ziekenhuis.'

'Vanuit het ziekenhuis?!'

'Haar bloeddruk is veel te hoog, haar hart...' Hij maakt zijn zin niet af, maar begint een andere: 'De dokter vond het beter dat ze naar het ziekenhuis ging. Muisje, luister, mijn vliegtuig landt na middernacht, dan ga ik naar haar toe. Kun je voor één nachtje alleen...'

'Alleen slapen in dat huis?' vraag ik met toegeknepen keel.

'Je kunt ook hier blijven', zegt Beth.

'Papa, is het goed dat ik bij Beth blijf?'

'Oké, dan kom ik je daar morgenvroeg ophalen. Geef je me Beth even door?'

Beth zegt twee keer ja en geeft haar adres, daarna geeft ze me de telefoon terug.

'Papa, wil je mama...' Maar ik krijg niets meer gezegd.

'Als er nog iets is, bel je me maar, dag muisje.'

Ik veeg mijn tranen met mijn mouw weg.

Beth geeft me haar zakdoek.

'Ik wil niet dat mama...'

'Je mama is van slag. Ze moet tot rust komen.'

'Er is iets met haar hart.'

'Het komt wel goed'

'Opa had ook iets aan zijn hart. Met hem is het niet goed gekomen', snik ik.

'Kindje toch. Je mama is nog jong. Ze is op een plek waar ze goed op haar letten. Denk nu niet het ergste.'

'En het is allemaal mijn schuld!'

'Morgen ga je naar haar toe en zeg je haar wat je te zeggen hebt.'

'Opa zat in de tuin van het tehuis op een bankje', zeg ik als mijn tranen op zijn. 'Hij vroeg aan de tuinjongen of hij een paar viooltjes mocht voor oma. De jongen plukte een boeketje van de bloemen die hij net had geplant, maar toen hij ze aan opa wou geven, viel opa van het bankje, recht in de armen van de jongen. Hij was dood.'

'Dat noem ik een mooie dood', zegt Beth rustig.

'Zijn hart was dichtgeslibd, volgens de dokter. Daarna legde hij me ook uit hoe een hart dichtslibt. Alsof hij met zijn uitleg opa's dood probeerde goed te praten. Ik wist ook dat opa niet eeuwig kon blijven leven, maar een beetje langer mocht toch.'

Beth knikt.

'Ben jij niet bang om te sterven?'

92

'Ik hoop ook op nog een beetje langer. Maar bang, nee, dat ben ik niet.'

'Maar wat als...'

'Als ik dood van mijn stoel val en er niemand is om me op te vangen? Er zijn twee soorten problemen in de wereld: die waar je iets aan kunt doen en die waar je niets aan kunt doen. Het helpt niet om je zorgen te maken over die laatste. En binnenkort woon ik hier niet meer alleen. Alles komt in orde.'

15

Het toegangshek van het kerkhof maakt een schurend geluid. Op dit uur zijn we de enige bezoekers. Papa is me heel vroeg bij Beth komen ophalen. Onderweg zijn we bij de bakker gestopt voor koffiekoeken. We moeten wachten op een telefoontje van het ziekenhuis om mama te bezoeken. Ze moet nog een bijkomend onderzoek ondergaan. Papa heeft de nacht bij haar op de kamer doorgebracht, maar hij zwijgt er in alle talen over, hij is er duidelijk niet gerust op.

Op weg naar de stad heb ik hem alles verteld. 'Muisje toch, geen wonder dat mama zich zorgen maakt', zei hij. 'Je had ons eerder op de hoogte moeten brengen, dan was het nooit zover gekomen. Als je weet uit te vissen waar het meisje woont, dan doe ik mijn best om oma's ketting terug te krijgen.'

Maar daar moet ik nog over nadenken, want papa haalt het niet van die bullebak en voor het meisje blijft het een moeilijke zaak. Het is beter dat Simon of zijn moeder met haar praat.

We lopen over het grindpad langs het standbeeld van Maria. Over het gras en de struiken hangt een waas van dauw.

Vlak voor het graf van opa en oma staat een houten bank. Papa veegt ze met zijn zakdoek droog. Over het graf van opa en oma wipt een roodborstje. Hij wrijft zijn snaveltje tegen de gouden letters op het graf, alsof hij wat goudglans op zijn bekje wil. Papa merkt het niet, hij staart afwezig naar de zwarte spikkelsteen.

'Wil je een koffiekoek?' vraag ik.

Picknick op het kerkhof. Het klinkt niet eerbiedig, maar opa vindt het zeker goed.

Ik heb moeite met de gedachte dat hij en oma echt onder de steen liggen. Als de zon op de steen schijnt, schitteren de spikkels als sterren zodat het graf een stukje hemel wordt. Toch blijft zo'n graf in de grond koud en donker, zelfs al lig je er met zijn tweeën in. Oma had bovendien last van reuma en wintertenen...

Ik vertel papa hoe oma's hond in Xsangs diepvriezer terecht is gekomen.

'Wou opa de hond hier begraven?'

Ik knik. 'Aan oma's voeten, waar de hond zo vaak had gelegen.'

'Ongelofelijk. Nu snap ik waarom opa erop stond om naar dat tehuis te gaan. Hij zag het ongeluk als een teken van oma.'

'We kunnen de hond ophalen bij de voedselinspecteur, ik kan hem een mooi graf geven in onze tuin.'

'Ik vrees dat het daarvoor te laat is. Waarschijnlijk brachten ze hem naar de verbrandingsoven van de stad.'

Papa legt zijn arm om mijn schouder en trekt me dicht tegen zich aan.

'Muisje, soms moet je dingen loslaten, ook al is het moeilijk. Anders blijf je vastzitten in iets waaraan je niets kunt veranderen. Het enige wat we kunnen veranderen aan het verleden, zijn onze gedachten. Oma's hond is dood, voor hem maakt het echt niet uit wat er daarna nog gebeurde.'

Ik knik.

Het roodborstje vliegt op en strijkt op de rugleuning van de bank neer.

'Ik denk ook', gaat papa verder, 'dat mama de juiste beslissing voor opa nam. Volgens mij was hij niet echt ongelukkig in dat tehuis.'

Ik leg een kruimel boterkoek voor het roodborstje naast me op de bank.

'Denk je dat opa langer geleefd zou hebben als hij elke dag gezond gegeten had?'

'Opa at gezond.'

'Die bami die ik voor hem meebracht, was toch vet.'

'Muisje toch, als je hem slaatjes had gebracht, dan had hij het veel eerder opgegeven. Opa was oud, en oude mensen sterven. Daar heeft niemand schuld aan.'

'Was hij volgens jou ziek?'

'Volgens mij was hij vooral mijn vader', antwoordt papa stil. 'Maar hij had Alzheimer, ja.'

'Hij was oud en had veel verdriet om oma.'

'Ja, maar er was meer dan dat en opa wist dat zelf ook.'

'Hoezo?'

'Zijn oudere broer had de laatste jaren van zijn leven ook Alzheimer. Opa herkende de eerste tekenen bij zichzelf. Weet je, de laatste keer dat ik hem bezocht, hoopte hij dat het niet lang meer zou duren. Hij voelde dat hij de grip op zijn leven verloor. Hij wilde absoluut niet dezelfde weg opgaan als zijn broer. "Stel je voor," zei hij, "dat Lana me komt bezoeken en ik niet meer weet wie ze is. Nee, dat kan ik mezelf niet toestaan. Als het zover komt, zul je me dan helpen?"'

Ik kijk papa verward aan. 'Bedoelde hij...'

Papa knikt.

Zo ken ik opa helemaal niet. Ik denk na, hoe erg zou ik het gevonden hebben als opa niet meer wist wie ik was?

'Zou je gedaan hebben wat hij je vroeg?'

Papa schudt zijn hoofd. 'Ik zou het niet gekund hebben. Maar ik verdroeg ook zijn angst niet. Zijn hele leven was hij van niets of niemand bang en nu was hij zelfs bang van zichzelf. Je hoort dit misschien niet graag, muisje, maar ondanks mijn verdriet was ik blij om zijn dood. Ik kan je niet vragen om ook blij te zijn, maar ik vraag je wel om mama niets meer te verwijten. We zullen nooit weten hoe het afgelopen zou zijn met andere keuzes. De enige zekerheid die we hebben, is dat er weinig te kiezen viel.'

Ik knik.

Het is vreemd, maar ik heb het gevoel alsof we opa voor een tweede keer aan het begraven zijn.

Naast me pikt het roodborstje de kruimel op. Hij draait zijn kopje schuin en kijkt me met zijn zwarte oogjes aan.

Papa haalt zijn gsm uit zijn jaszak en kijkt naar het uur. Het blijft wachten op een seintje van mama.

'Het is vaak zo moeilijk met mama. Ik wil wel, zij wil wel, maar toch lukt het ons niet. Vaak zegt ze net wat ze juist niet moet zeggen. En als ik sta te schreeuwen, kan zij toch niet doen alsof ze het niet hoort?'

'Toch moeten jullie er met z'n twee uit raken.'

'Ik weet het.' Ik scheur een stukje van de broodzak af. 'Heb je iets om te schrijven?'

Ik schrijf een wens op. Dan raap ik een kiezel op en leg het papiertje op opa's en oma's graf.

'Leg er voor mij ook een steentje op. Kom, we gaan ergens koffiedrinken.'

We lopen naar de uitgang van het kerkhof.

Vlak bij het standbeeld van Maria biept papa's gsm.

'Ja? Hallo?' Papa's gezicht betrekt. Hij sluit zijn ogen.

'Zeg het maar.' Hij doet zijn ogen opnieuw open. 'Nee. Dat kan toch niet! Maar hoe dan?!'

Ik kijk papa angstig aan.

Papa houdt zijn gsm tegen zijn hart. 'Wat heb jij op dat papiertje gezet?'

Ik wil iets zeggen, maar op dat moment houdt hij zijn gsm tegen mijn oor.

'Lana?'

Het is mama, oef.

'Lana?'

'Wat is...'

'Alles is onder controle, maak je geen zorgen, maar...'

'Maar wat?'

'Ik vertel het je straks liever zelf. Jij zult het vast leuk nieuws vinden.'

'Hoezo?'

'Tot straks.'

Ik kijk papa vragend aan. 'Wat voor leuk nieuws?'

Papa haalt geheimzinnig zijn schouders op.

'Toe?!'

'Niks van.'

16

Ik kijk mama ongelovig aan. 'Dat kan toch niet! Maar hoe dan?!'

'Ja, dat zei ik daarstraks ook al', lacht papa.

'De dokter begrijpt het ook niet helemaal. Er is een klemmetje losgeraakt.'

'Ik kan het niet geloven.'

'Echt waar.'

'Hoe lang al?'

'Nog maar twee weken.'

Om hardop te juichen is het nog te vroeg, maar binnen in mij danst er een stemmetje vrolijk op en neer. Er komt een broertje of zusje bij.

'En met jouw hart?' vraagt papa.

'Te hoge bloeddruk, ze houden het in de gaten.' Mama wijst op het toestel dat naast haar bed staat. 'Misschien komt het door de zwangerschap, misschien door al het gedoe.' Ze kijkt me ernstig aan. 'Ik denk dat we eens moeten praten.'

Ik knik.

'Ik ga ondertussen een grote kop koffie drinken', zegt papa. 'Biep mij als jullie klaar zijn, dan vieren we met zijn vieren het blijde nieuws.'

Ik ga aan het voeteneind van het bed zitten.

'Ik...' beginnen we tegelijk.

'Begin jij maar', knikt mama.

Voor de derde keer vertel ik alles. Zo nu en dan piept het toestel naast haar bed verraderlijk, maar mama gebaart telkens dat ik verder moet gaan. Als ik uitverteld ben, zucht ze in mijn plaats.

'Kleintje toch, je moest eens weten hoe ik tekeerging tegen Johanna. Het was echt niet fraai. Ik had opa gevraagd of hij het goedvond dat ik oma's juwelen liet smelten. Hij maakte er geen probleem van, hij begreep ook dat oma's smaak uit de mode was. Hij had er alleen op gestaan dat jij oma's engeltje kreeg, en net dat ontbrak...'

'Ik zal Johanna een brief schrijven.'

'Ja, en laat voor mij de achterkant vrij. We zullen er een cheque bijstoppen voor een nieuwe jas. Ik begrijp niet waarom je daar zolang over gezwegen hebt.'

'Ik was bang dat je boos zou zijn.'

'Ik zou ook boos geweest zijn. Maar niet omdat je het hangertje had weggenomen, wel omdat je me niet vertrouwt. Alsof ik me zomaar oma's juwelen zou toe-eigenen. Ik ben toch geen wildvreemde?'

'Papa vertelde me over opa's broer en...'

Mama knikt. 'Het was voor ons geen makkelijke periode.'

'Je had me niet mogen buitensluiten. Ik ben geen klein kind meer.'

'Ik weet het.'

'En wat ik ook niet graag heb, is dat je tegen papa kwaad over mij spreekt.'

'Die avond dat we ruzie maakten? Het was niet kwaad bedoeld, ik voelde me alleen zo machteloos. Ik kon niet weten wat jij doormaakte. Beloof me om in het vervolg met me te praten als dat nodig is.'

Het is even stil tussen ons, maar het is geen zware stilte. In gedachte ga ik na of ik nog wat moest zeggen. Mama doet net hetzelfde, geloof ik.

'En wat Jorien betreft, heb ik eens nagedacht. Ik stel voor dat je haar eens te logeren vraagt.'

'Meen je dat?!'

'Ja, ik blijf erbij dat er aan haar een haakje loszit, maar als ze zoveel voor jou betekent...'

Ik kan het haast niet geloven. 'Mogen we in de tuin kamperen?'

'Zolang jullie maar uit de buurt van mijn bijenorchis blijven', lacht mama.

'Er is wel iets dat je me moet beloven als Jorien komt. Ik wil dat jullie dat meisje met rust laten. Dus samen geen plannetje verzinnen om oma's engeltje terug te krijgen.'

'Maak je geen zorgen. Weet je, dat meisje droeg niet eens een jas en haar pa liet je voor een nieuwe betalen.'

'Wat doe je met zo'n vader...'

'Stel dat papa zo was, zou jij...'

'Het is makkelijk om nee te zeggen. Maar soms is het niet zo eenvoudig. Je weet niet wat die vrouw doormaakt. Misschien kan ze niet tegen hem op, is ze bang of houdt ze al bij al van hem.'

'Hoe kun je van iemand houden die je kinderen aftuigt?'

'Ik weet het niet. Ik kon ook niet geloven dat jij dat meisje zo had toegetakeld, maar je gaf het toe. Ik verloor toen echt mijn pedalen. Sommige stukjes van jezelf leer je liever niet kennen.'

17

Ik zit buiten op het terras. Binnen is de chaos niet meer te overzien, er davert zoiets als een kleine bulldozer door ons huis. We zijn een maand later en alles ging goed tot vanmorgen.

Na een paar dagen mocht mama het ziekenhuis verlaten. Behalve de baby die op komst is, is er niets ernstigs aan de hand. Mama's bloeddruk is spontaan gedaald en onder controle.

Simons moeder is bij Beth ingetrokken en het lijkt alsof de twee hun hele leven al samenwonen.

Simons moeder nam contact op met de familie Bullebak. Ze wil niet overhaast te werk gaan, want veranderingen vragen tijd. Zelf zag ik het meisje noch de andere kinderen terug. Volgens Beth houdt bullebak zijn dochter in huis tot alle sporen van de afranseling weg zijn.

Verder zijn werklui van de gemeente de resten van het babylijkje komen opgraven. Op het kerkhof werd er een mooi grafje voor gemaakt, ver van dat van dokter Laurens. Mama heeft ook het miezerige boompje verplant, zodat het volgend jaar misschien weer in bloei staat.

En Simon hield zijn belofte. We kregen van de notaris een flink pak geld terug. Mama schoot onmiddellijk in actie, ze wil met de verbouwing klaar zijn voordat de baby is geboren.

Op mijn schoot ligt een brief van Jorien en het tijgeroog.

Liefste zusje,

Robinson, koekjes, een kampvuur? Toch liever niet. Het was zo leuk samen, maar nu jij ginds woont, is het niet meer hetzelfde.

Telkens als ik een brief van jou krijg, ben ik dagenlang ziek van heimwee. Telkens moet ik twee keer huilen; een eerste keer omdat je niet meer bij me bent, een tweede keer omdat ik voel dat onze vriendschap anders wordt. Maar zusje, je kent me beter dan wie ook, je weet dat het voor mij alles of niets is. Iets tussenin lukt me niet. Daarom wil ik je vragen om me niet meer te schrijven. Geloof me, ik heb er lang over nagedacht – hotelkamers zijn ideaal om na te denken.

Voor mij is het ook een kwestie van eerlijkheid. Je weet wat voor liegbeest ik ben, maar tegen jou heb ik nooit gelogen en dat wil ik zo houden: kiezen voor minder zou een leugen zijn.

Zusje, ik weet dat ik hiermee ook voor jou beslis, maar wees als je blieft niet boos op me.

Ik stuur je onze steen terug, jij weet vast wel een vervolg op onze verhalen te bedenken.

Een laatste kus, ik huil voor jou erbij,

Je zusje Jorien

PS. Ik vind het ongelofelijk leuk dat je een echt broertje of zusje krijgt.

Met tranen in mijn ogen kijk ik op. Kwaad gooi ik de steen weg. Filou wrijft zich langs mijn benen, maar ik heb geen zin om met haar te spelen. Ik begrijp Jorien niet, en ik wil haar ook niet begrijpen. Het is zo stom. We hadden nog zoveel samen kunnen doen.

Op het kronkelwegje komt iemand aan. Het is het meisje. In haar linkerhand heeft ze een plastic zak. Ze bukt zich en raapt het tijgeroog op. Ze houdt de steen even in het licht en komt dan recht naar me toe.

'Dag', zegt ze zacht als ze vlak voor mij staat. Haar bril is geplakt met een stukje bruine kleefband. De zwelling in haar gezicht is verdwenen.

Ik trek mijn neus op en veeg mijn tranen weg. 'Dag.'

'Slecht nieuws?'

Ik knik.

Ze vraagt niet verder en glimlacht flauwtjes.

Ik vouw Joriens brief dicht en stop hem in mijn zak.

'Je hebt nog geen nieuwe bril?'

'Papa kocht van het geld waanzinnig dure sportschoenen. Ik zal mijn zakgeld sparen om je het geld terug te betalen.'

'Dat hoeft niet.'

'Je hebt je poes terug', wijst ze naar Filou.

'Ze zat opgesloten in de kelder.'

'We waren het bos nog niet uit, of ze wrong zich uit haar halsbandje en ontsnapte.'

Ze kijkt me aan. 'Sorry van ons gepest. We waren boos omdat we ons clubhuis kwijt waren. We hadden niet eens de tijd om onze spullen uit het huis te halen en mijn broertje wou zo graag zijn zakmes terug... We hebben de club ontbonden.'

Ik kijk haar vragend aan.

'We hadden ruzie om dit.' Uit de zak haalt ze een schoenendoos.

'Om jouw papa's nieuwe sportschoenen?'

'Toch niet', lacht ze.

Ik open de doos. In de doos zitten de kleertjes van mijn beer, netjes gewassen en gestreken. Ze liggen boven op een pak bedrukte papiersnippers.

'Het was behoorlijk stom wat de jongens met je beer deden. Ze vertelden het me pas daarna en dachten dat ik blij zou zijn. Het gouden kettinkje zit in één van de sokjes.'

'Ik vreesde dat ik het kwijt was.'

'De jongens wilden het verpatsen. Vandaar de ruzie.'

'Wat is dit?' vraag ik terwijl ik een handvol papiersnippers opschep.

'De vulling van je beer. Ik denk dat ze er een boek voor verknipten.'

Ik schud even met de doos. 'Misschien lukt het wel om het boek opnieuw in elkaar te puzzelen, maar het zal tijd vragen.'

Het meisje kijkt me onderzoekend aan. 'Ik kan je helpen, ik heb tijd.'

Dan haalt ze het tijgeroog uit haar zak. 'Is die van jou?'

'Er zit een verhaal aan vast. Een met een droevig einde.'
'Ik hou van zulke verhalen.'
Ik kijk haar aan en begin te vertellen.